MW00397994

EL BARCO  DE VAPOR

El libro invisible

Santiago García-Clairac

Primera edición: mayo 1999
Decimocuarta edición: marzo 2004

Colección dirigida por Marinella Terzi
Cubierta e ilustraciones: Enrique Flores

Impresores, 15
Urbanización Prado del Espino
28660 Boadilla del Monte (Madrid)

ISBN: 84-348-6556-4
Depósito legal: M-6685-2004
Preimpresión: Grafilia, SL
Impreso en España / *Printed in Spain*
Imprenta SM - Joaquín Turina, 39 - 28044 Madrid

A Ana

1

ME llamo César, hoy empiezo el nuevo curso en un nuevo colegio. Por eso estoy de muy mal humor.

Todos los años me pasa lo mismo, tengo que cambiar de colegio, de compañeros, de profesores, de barrio y, lo que es más grave, de casa. Eso ocurre por culpa de mi padre.

No es que mi padre sea un bandido perseguido por la policía como esos que tienen que cambiar continuamente de ciudad. No, no es eso..., mi padre es escritor.

Él dice que es un espíritu inquieto y no puede estar mucho tiempo en el mismo sitio. Por ese motivo, nos quedamos en cada ciudad lo justo para que escriba una novela y luego... ¡Adiós!

—Mi imaginación se atasca —nos explicó un día a mi hermano Javier, a mamá y a mí en un avión—. No soy capaz de escribir dos libros en el mismo sitio. Necesito ver caras nuevas, otros ambientes...

Escribe libros para niños, pero yo no he querido leer ninguno. Lo he intentado algunas veces pero me pongo de tan mal humor que no consigo terminarlos.

Estoy enfadado con los libros de mi padre porque creo que son los culpables de que estemos siempre de mudanza. Y precisamente por eso, por culpa de esos libros, empiezo hoy en un nuevo colegio.

Por lo menos, esta vez he tenido suerte y el colegio está cerca de mi casa. Aunque debería decir que el nuevo colegio está cerca de mi nueva casa. Hace apenas un mes que vivimos en esta ciudad, aún no tengo amigos y ni siquiera conozco a mis vecinos.

Este colegio es muy grande. Igual que la clase, que parece la habitación de un palacio de esos que salen en las películas.

He llegado temprano y he entrado el primero, sé por experiencia que así puedes elegir sitio. Me acabo de sentar en un pupitre de las filas traseras, cerca de la ventana.

He aprendido que los profesores no se suelen fijar en los que se sientan detrás y que estar cerca de la ventana tiene la ventaja de que, mientras miras al cielo, te distraes y el tiempo pasa más deprisa.

Ésas son las cosas que se aprenden cuando uno cambia tanto de colegio y se encuentra siempre solo.

La clase se está llenando poco a poco. Veo que casi todos se conocen y se saludan mientras que, a mí, me miran como a un bicho raro. La verdad es que ya estoy acostumbrado, siempre me pasa lo mismo.

Creo que el profesor y yo no nos vamos a entender. El otro día mi madre me lo presentó y es de esos a los que les gusta que todo el mundo les hable con respeto, como si fuesen más importantes que el resto del mundo.

—¡Hola!

—¿Qué? —respondo un poco sobresaltado.

—¿Cómo te llamas?

—¿Quién? ¿Yo...? Me llamo César —digo.

—Y yo Lucía —dice la chica que acaba de sentarse a mi lado.

No me había dado cuenta, pero son pupitres dobles y, tarde o temprano, alguien tenía que compartirlo conmigo. Pero no esperaba que me fuese a tocar una chica tan fea.

La estoy mirando de reojo y veo que tiene una cara que me pone nervioso. Lo peor no son esas pecas marrones que le tapan casi toda la cara, lo peor son esas gafas tan grandes y tan redondas que lleva. Es como si se hubiera puesto un antifaz.

En fin, vaya curso que me espera.

—¿Eres nuevo, no?

—Sí —respondo sin levantar la cabeza de mi cuaderno—. Soy nuevo aquí.

—¿Y en la ciudad? —insiste.

—Sí, también soy nuevo en la ciudad.

Además de fea es una pesada.

—Yo vengo a este colegio desde que era pequeña —me explica—. Soy una veterana. Si quieres saber algo de aquí, pregúntamelo a mí.

Lo que me temía, también es tonta.

—Claro, claro... —le digo para que se calle—. Ya te preguntaré si se me ocurre algo.

—Oye, a mí no me trates como si fuese tonta, ¿sabes? —dice de repente, como si me hubiera leído el pensamiento— Puedo tener cara de boba, pero no lo soy.

—Yo no...

—Tú sí —me corta—. Tú me has tomado por una estúpida, pero te equivocas.

—Oye, que yo no he dicho nada —protesto.

—Pero lo has pensado, que es lo mismo —me reprocha.

—¿Y cómo sabes tú lo que pienso?

—Porque soy escritora. Y los escritores sabemos mucho sobre las personas.

—¿Ah, sí?

—¡Sí!

Prefiero callarme. Me ha tocado lo peor que me podía tocar: otro escritor.

—Pues para que lo sepas, mi padre es escritor y publica libros, no como tú, que ni publicas ni nada.

—¿Y qué escribe tu padre? ¿Está escribiendo algo ahora? ¿Cómo se llama? ¿En qué editorial publica? ¿Cuántos libros...?

—¡Cállate! —le ordeno—. ¿No ves que el profesor nos está mirando?

Me lanza una mirada de enfado pero no dice nada más.

Hoy ha sido uno de los días más duros de mi vida. Creo que mañana trataré de cambiarme de pupitre porque yo, a la tal Lucía, no la aguanto. ¿Qué le importará a ella lo que está escribiendo mi padre? A lo mejor se cree que me cuenta lo que hace.

Mi hermano me está esperando a la salida del colegio. Nos vamos andando hacia casa.

—¿Qué te pasa en la mejilla? —le pregunto mientras observo algunos arañazos en su cara.

—Me he pegado con uno de la clase —me dice.

—¿Estás bien?

—Sí, creo que sí —me responde—. ¿Qué tal te ha ido a ti?

—Tengo problemas con una chica —le explico—. Me ha tocado la compañera de pupitre más tonta y más fea que he visto en mi vida. Te espantarías si la vieras.

Prefiero no contarle que un grupo de chicos me ha estado molestando. Que se han pasado todo el día lanzándome pelotitas de papel a la cabeza con una goma. Y que creo que van a ser un problema aunque he tratado de no dar demasiada importancia al asunto.

Llegamos a casa y hacemos los deberes. Después llega papá y cenamos.

—¿Qué tal vuestro primer día de colegio? —nos pregunta apenas nos sentamos.

Yo le miro y no respondo.

—He tenido una pelea con un chico que me ha llamado novato —dice Javier—. Pero le he dado...

—Javier, hijo, te he dicho mil veces que no quiero que te pelees con tus compañeros de clase —le regaña mamá—. No tendrás nunca amigos si te comportas así.

—No tendremos nunca amigos —intervengo.

—He empezado una nueva historia —dice mi padre, evitando una discusión que no le gusta nada.

—¡Qué bien! —dice mamá, tratando de crear un buen clima.

—Y nosotros hemos empezado un nuevo curso —digo, llenando mi cuchara de sopa y llevándomela a la boca.

—¿De qué va tu libro? —pregunta mi hermano Javier.

—Se titula «El libro invisible»... Estoy

muy contento. Aún no puedo contaros muchos detalles porque estoy empezando.

—¿«El libro invisible»? —repite sorprendido mi hermano.

—Bueno, sí... —dice mi padre—. Es la historia de un libro que no todo el mundo puede ver y...

—¡Eh! ¿No decías que da mala suerte contar las historias mientras se están escribiendo? —le corta mamá.

—¡Mamá! —protesta Javier.

—Ella tiene razón —dice mi padre—. No voy a contaros nada más. Ya la leeréis cuando esté terminada.

Yo no he dicho nada. Me da igual la historia de mi padre. Por culpa de sus libros nos pasamos la vida cambiando de ciudad, de casa y de colegio... y ahora, además, tengo que aguantar a Lucía.

—Bueno, me voy a escribir —dice mi padre después de cenar—. Buenas noches a todos.

Tiene la costumbre de escribir de noche. Durante el día escribe a mano en un cuaderno y luego, por la noche, lo pasa a su ordenador. Vamos, que escribe dos veces lo mismo. Por eso digo que los escritores son muy raros.

—Hasta mañana, papá —le despide Javier.

—Que os vaya bien en el colegio —dice, levantándose de la mesa y saliendo del comedor.

Nosotros nos quedamos un rato viendo la tele. Hoy ponen una película de aventuras y mamá nos deja verla.

2

ESTOY cada día más enfadado. No me gusta ir a este colegio y me irrita tener que aguantar a mi compañera de pupitre.

—¿Qué te pasa? —me pregunta Lucía apenas me siento—. Pareces descontento.

Esta pregunta me la hace todos los días. A veces pienso que lo hace para enfadarme aún más.

—Nada, no me pasa nada —le respondo en un tono que significa claramente que debe dejarme en paz y no molestarme más en todo el día.

—Bueno, bueno, tampoco hay que ponerse así —dice como si hubiera captado perfectamente el mensaje—. ¡Mira que eres antipático!

—Yo no me pongo de ninguna manera —le digo, insistiendo con el mismo tono de enfado—. ¿Vale?

Parece que, finalmente, decide callarse.

Pero hoy tengo ganas de guerra.

—Mi padre ha empezado a escribir un nuevo libro —le digo un poco más tarde.

—¿Qué? ¿Una nueva novela? —exclama muy interesada.

—Sí —respondo sin mirarla—. Ya tiene bastantes páginas escritas.

—¿De qué trata? ¿Le falta mucho para terminarla?

Me hago el interesante y tardo un buen rato en responder.

—Bueno, ya sabes que estas cosas son secretas.

—¿Quién es el protagonista? ¿Una chica?

—Todavía no te puedo contar nada —le digo bajando la voz—. Lo siento.

Ya he dicho que hoy estoy de mal humor, por eso me comporto así con ella. A lo mejor, así se me pasa.

—Me gustaría leerla —dice suplicante.

—Tardarán todavía mucho tiempo en sacarla a la venta —le explico—. Tendrás que aguantarte.

—No, lo que quiero decir es que me gustaría leerla ahora.

—¿Estás loca? No se puede leer una historia mientras se escribe —le digo en plan reproche—. Nadie lo hace.

En ese momento, un pelotazo de papel se estrella contra mi cabeza.

—¡Ay! —grito sin poder contenerme.

—¿Qué pasa ahí? —dice el profesor mirándome.

Sin darme cuenta, me he puesto de pie.

—César... Haz el favor de no distraer a tus compañeros.

—Yo no...

—Siéntate y calla —ordena, volviéndose hacia la pizarra.

Obedezco y procuro no moverme.

Pero, en ese momento, otra pelota de papel me atiza en el cuello. ¡Plaf!

Esta vez reacciono con más rapidez y me levanto a tiempo para descubrir quién ha sido.

Lo malo es que, al levantarme, se me caen los libros y la cartera al suelo... Y toda la clase empieza a reír.

—¿Otra vez? —exclama el profesor, mirándome con enfado.

—Es que Lorenzo me ha tirado un pelotazo... —digo señalando al que me ha disparado.

—Eso es mentira, señor González —dice rápidamente Lorenzo, poniéndose en pie.

—¡César, sal de la clase ahora mismo! —me ordena—. ¡Y no vuelvas hasta después del recreo!

Salgo de la clase sin rechistar mientras los demás me miran con una sonrisa burlona.

Llego al patio y me siento en las escaleras de piedra del edificio principal, pero no consigo tranquilizarme. Estoy muy enfadado y muy nervioso. Me pongo a correr alrededor del patio hasta que los demás salen al recreo.

Apenas me ve, Lucía viene corriendo hacia mí.

—¡Hola! ¿Qué haces?

—Correr. Así se me pasa el enfado.

—¿Puedo correr contigo? —me pregunta, acercándose un poco.

—Como quieras, pero te advierto que estoy de muy mal humor.

—Me da igual. Es que quiero hablar contigo.

—Cuando se corre, no se habla —le digo.

—¿Es una novela grande?

Decido no responder.

—La novela de tu padre —insiste— ¿es muy gorda?

—Y yo qué sé... No ves que todavía no la ha terminado.

—Ya, pero cuando la termine, ¿será una de esas historias de muchas páginas?

—¿Y eso qué importa?

—Nada, es por curiosidad. Es que a mí me gustan mucho los libros gordos.

Acelero un poco el paso a ver si me deshago de ella.

—Oye, no corras tanto —me grita.

Pero no le hago caso y sigo con lo mío.

—¡Mira quién está aquí!

Es Lorenzo, el de las pelotitas, que se ha puesto delante de mí, cortándome el paso. Viene con otros dos.

—¿Adónde crees que vas?

—No me meto con nadie —respondo—. Dejadme en paz.

—¿Sí? Pues en clase parecías más valiente —insiste.

—Quería hacerse el héroe delante de las chicas —dice otro.

—Es el chivato del profesor —remata el tercero.

Estoy parado ante ellos y me tiemblan las piernas.

—¿Y ahora qué? —dice Lorenzo en plan provocador.

—Yo no quiero peleas —le respondo—. Sólo quiero...

—¡Tú eres un cobarde! —dice Lorenzo, agarrándome de la camisa.

De repente, detrás de mí, una sombra salta sobre ellos y le pega un pisotón a Lorenzo... ¡Es Lucía!

—¡Tú sí que eres un cobarde! —le grita mi amiga.

Lorenzo y sus amigos dan un paso atrás.

—¿Por qué te metes donde no te llaman? —grita Lorenzo.

—¡Porque me da la gana! —responde ella sin acobardarse.

—Somos más que vosotros —dice uno de ellos—. Y os podemos...

Pero no termina la frase porque Lucía le da un empujón que casi lo tira al suelo.

Yo reacciono y me pongo al lado de ella, con los puños preparados, igual que los bo-

xeadores. Ya sé que no sirve de nada porque no sé boxear, pero no se me ocurre hacer otra cosa.

—Vámonos —ordena Lorenzo a sus amigotes—. Ya le pillaremos en otra ocasión.

—Sí —dice el que ha recibido el empujón—, ya te enseñaremos a hacerte el listillo.

Entonces suena el timbre que anuncia el fin del recreo y todo el mundo se dirige a su clase.

—Gracias, Lucía —le digo mientras subimos las escaleras—. Has sido muy valiente y si no es por ti...

—Lorenzo es un cobarde que busca pelea cuando está con sus amigos —responde, mirándome con una sonrisa.

—Bueno, yo... no quería ser grosero contigo. Lo que pasa es que me pones muy nervioso.

—Sí, ya lo sé... La gente se pone nerviosa conmigo. Es que soy un poco pesada —dice, agachando la cabeza.

—Además, haces muchas preguntas.

—Ya lo sé... Perdóname —contesta—. No he debido preguntar tanto por la novela de tu padre.

Entramos en clase y el profesor me lanza una mirada de reproche que me preocupa. Creo que no me ha perdonado, así que más vale andar con cuidado.

La clase empieza y nadie se mete conmigo. Lorenzo no me lanza pelotitas de papel y sus dos amigos ni siquiera me miran. Además, Lucía ha decidido portarse bien y ya no hace preguntas sobre el libro de mi padre.

Tengo que reconocer que Lucía es una chica valiente. Si no es por ella, no sé qué habría pasado en el recreo. La verdad es que se ha portado bien conmigo... Si no fuera tan pesada...

—¡La clase ha terminado por hoy! —anuncia el profesor—. ¡Hasta mañana!

—Me voy corriendo —dice Lucía—. Tengo prisa.

La sujeto del brazo y le digo:

—«El libro invisible».

—¿Qué dices? —pregunta extrañada.

—El libro de mi padre —le explico— se titula «El libro invisible».

Me mira fijamente y pone cara de asombro.

—¡«El libro invisible»! —exclama—. ¡Menudo título!

—Gracias —le digo, soltándole el brazo.

Lucía se marcha volando mientras yo voy en busca de mi hermano Javier.

Por la noche, en casa, cenamos tranquilamente. Después, mi padre se levanta y entra en su despacho a escribir mientras nosotros nos quedamos un rato a ver la televisión.

La película acaba de terminar y, antes de irme a la cama, decido ir al cuarto de baño a lavarme los dientes y todo eso.

Al salir, veo que el despacho de mi padre tiene la puerta entreabierta... Andando de puntillas, me acerco y miro al interior.

La habitación está en penumbra. Hay una pequeña lámpara sobre la mesa para iluminar el cuaderno y el teclado. El monitor encendido ilumina frontalmente la figura de mi padre que teclea sin cesar. A su derecha, la impresora está en marcha... y de ella salen unas hojas impresas que se depositan suavemente sobre la bandeja.

3

HOY, cosa rara, Lucía apenas me ha hablado en clase. Espero que no esté enfadada conmigo.

—¿Te pasa algo? —le pregunto.

—Nada, es que hoy no tengo un buen día.

—Ya, a lo mejor es por culpa mía —le digo.

—No seas pesado. Te he dicho que no tengo ganas de hablar con nadie. Además, no quiero molestarte.

Mi madre dice que a veces hay que saber callarse, así que voy a tratar de cerrar la boca. De verdad que lo voy a intentar.

—Si quieres, luego, a la salida, te invito a tomar algo —le propongo un poco después.

—No puedo, tengo que coger el autobús —responde sin hacerme mucho caso.

—Puedes llamar por teléfono a tu madre

para decirle que te retrasas. Y luego te acompaño a tu casa.

—Mira, César, hoy no tengo ganas de hablar con nadie. Estoy de mal humor y todo me sale mal. Además, esta mañana he tenido una discusión con mamá y no creo que me deje llegar tarde, ¿entiendes?

—¿Has discutido con tu madre? —le pregunto con interés.

Como veo que no responde, decido cerrar la boca otro rato. Creo que es lo mejor.

—Es que quiero enseñarte algo —le digo antes de callarme definitivamente.

Pero no me hace ni caso. Me parece que está realmente enfadada.

Durante todo el día no ha abierto la boca ni una sola vez y, durante el recreo, ni siquiera se me ha acercado.

La clase ha terminado y el profesor nos acaba de dar permiso para salir. Me levanto y salgo corriendo. Bajo las escaleras a toda velocidad y me pongo en la puerta del autobús que debe llevar a Lucía.

Un poco después, Lucía aparece. Viene andando despacio y se le nota bastante triste.

Cuando pasa a mi lado, extiendo el brazo y le digo:

—¡Mira!

Ella se queda muy sorprendida mirando las hojas de papel que pongo ante sus ojos.

Su expresión va cambiando a medida que lee lo que pone en la primera página.

—¡«El libro invisible»! —exclama finalmente.

Yo no me muevo, no digo nada y ni siquiera parpadeo.

—¡Es el libro de tu padre! —dice muy ilusionada—. ¡Me lo has traído!

—¿Quieres leerlo? —le pregunto.

Está atónita. Se pone la mano delante de la boca y mira hacia todas partes. Está claro que la he sorprendido.

—Vamos a la heladería —logra decir—. Desde allí puedo llamar a mi madre.

—Ya te lo decía yo esta mañana...

Ni caso. Me agarra del brazo y casi me arrastra hasta el interior.

—Siéntate aquí —me ordena—, pídeme un helado de vainilla con chocolate. Ahora vengo.

Me acomodo en la silla y espero pacientemente a que venga el camarero a preguntarme qué vamos a tomar.

Reconozco que estoy un poco nervioso. Es la primera vez en mi vida que voy a tomar un helado con una chica. También es la primera vez que le voy a leer un libro a una chica. Claro que, ayer, también fue la primera vez que una chica me defendía en una pelea. En fin, supongo que debe haber una primera vez para todo...

Aunque reconozco que lo que más nervioso me pone es lo de leer en voz alta. Sólo de pensarlo, empiezo a sudar y me tiemblan las manos.

El camarero se planta delante de mí y me mira con cara de reproche.

—Aquí no se viene a hacer los deberes —dice finalmente.

—No vamos a hacer los deberes, sólo vamos a leer.

—Esto no es una biblioteca —insiste.

—No tardaremos mucho —digo suavemente—. Enseguida nos vamos.

—Supongo que tomaréis algo, ¿verdad?

—Dos helados de vainilla con chocolate.

—¿Copa grande o pequeña?

—Grande. Sí, que sean dos copas grandes de helado de vainilla con chocolate... Con mucho chocolate —le respondo.

El camarero se queda mirando con cara de no haberme entendido. A lo mejor ha pensado que le estoy tomando el pelo. A ver cómo le explico yo que lo que me pasa es que estoy nervioso y que por eso hablo tanto.

—¿Quieres guinda? —me pregunta mientras toma nota en su libreta.

—Mmmm... Creo que sí.

—¿Crees o estás seguro?

—Sí, quiero guinda.

—¿En los dos o en uno solo? —vuelve a interrogar.

—En los dos —le respondo—. Quiero una guinda en cada helado.

No sé cómo ha sido, pero este señor me ha puesto más nervioso de lo que estaba.

—Son ochocientas —dice poniendo una nota encima de la mesa—. Hay que pagar antes de servir.

Saco mis monedas del bolsillo, pero no estoy seguro de tener suficiente. Le lanzo una sonrisa amistosa mientras las cuento. Para bromear, estoy a punto de preguntarle cuánto me descuenta si me quita las guindas pero me aguanto, no se vaya a enfadar.

—¿No tienes bastante dinero? —dice en plan irónico—. Si quieres, te puedo quitar las guindas y te hago un pequeño descuento.

Es como si me hubiera leído el pensamiento. Y luego dicen que los camareros no tienen sentido del humor.

Le río la gracia y me tranquilizo durante un momento.

—No creo que haga falta —le, digo, poniendo las monedas sobre la nota—. Tengo dinero para pagar hasta diez guindas.

Ahora sí que no le ha hecho gracia. Con una mirada asesina, coge las monedas y se marcha.

—¿Te pasa algo? —me pregunta Lucía, sentándose enfrente de mí—. Estás pálido.

—Sí, estoy nervioso —le respondo con toda naturalidad.

—Yo también —dice juntando las manos—. Estoy emocionada.

—¿Qué ha dicho tu madre? —me intereso.

—Nada. No estaba en casa y le he dejado un mensaje en el contestador automático.

—Espero que no se enfade —le digo con tono de preocupación—. No quisiera que por mi culpa...

—No seas tonto y saca las hojas del libro, que me muero de curiosidad.

Le sonrío y abro la cartera.

—Hay pocas páginas —le digo como disculpándome—. No sé si será suficiente.

—Déjate de tonterías y empieza a leer.

—¿Quieres que lea en voz alta?

—Leeremos una página cada uno. Venga, empieza tú.

Ahora sí que me he puesto nervioso. Si llego a saber que tengo que leer, no...

—Empieza, empieza ya... —me apremia.

Parece que no me queda más remedio que leer, así que empiezo:

—«El libro invisible» por César...

—Es un título increíble —dice Lucía, interrumpiéndome.

—¿Qué tiene de increíble? —le pregunto, mirando la página impresa.

—¿Has visto algún libro invisible en tu vida? —responde.

—Pues... ahora que lo dices, creo que no.

—¿Crees que no? —pregunta con ironía—. ¿No estás seguro?

—Bueno, sí... Sí estoy seguro. No he visto nunca un libro invisible —le explico—. Es que no existen.

—Y tú ¿cómo lo sabes? ¿Eh? ¿Cómo sabes que los libros invisibles no existen si no has visto ninguno?

—No los he visto porque no existen —insisto.

—No los has visto porque son invisibles —responde tercamente.

—Dos helados grandes de vainilla con mucho chocolate y guinda en cada uno —dice el camarero poniendo las copas sobre la mesa, ante nuestros ojos.

La visión de los impresionantes helados me deja sin habla y no puedo darle las gracias. Aunque tampoco me da tiempo ya que desaparece rápidamente.

—¡Vaya helados! —digo entusiasmado y con los ojos abiertos como platos—. ¡Son increíbles! Bueno... ¡Son creíbles!

—Parece que te gustan, ¿eh? —dice Lucía como si tuviera algo que reprocharme por ello.

—Mira como chorrea el chocolate, mira la guinda... ¿A que no has visto nunca un helado invisible como éste? —le pregunto, tratando de hacer una broma.

Lucía no sigue el chiste y me mira con cara de disgusto.

—No hay helados invisibles. Las cosas invisibles no existen —le explico cogiendo una cucharita.

—Tú sólo crees en lo que ves —comenta ella en voz baja.

—Y en lo que como —le digo después de tomarme una cucharadita de chocolate—. ¡Está delicioso! Pruébalo y verás lo que quiero decir.

—Si no crees en las cosas invisibles, no creo que puedas leer este libro —dice cogiendo las hojas impresas—. Yo lo haré mientras tú te pones ciego con el helado.

De buena me he librado. Ahora sí que me empiezo a tranquilizar.

—Escucha bien —dice—, ésta es la historia:

Hace más de mil años, en el olvidado reino de Navar, alguien escribió un libro invisible. Pero se perdió y nadie pudo leerlo. Pasaron muchos siglos y el libro estuvo abandonado hasta que todo el mundo se olvidó de él. Empujado por el viento y arrastrado por las aguas, recorrió todo el reino sin que nadie se percatase de su presencia. De vez en cuando, sin querer, alguien le daba una patada, le arrojaba un cubo de agua o lo tiraba a la calle, y los caballos y los carruajes le pasaban por encima. Pero el libro, que estaba escrito sobre un material muy resistente, aguantaba todos los golpes y permanecía intacto.

De repente, deja de leer y, mirándome con cara sonriente, dice:

—¡Es increíble!

—Sí, ya te lo he dicho —le respondo después de atacar mi helado.

—¿Es que no te gusta? ¿Es que no te interesa? —grita de repente, como si estuviera enfadada.

—Claro que me gusta —le contesto, comiéndome la guinda.

—¡Me refiero al libro, no al helado!

—Bueno, chica, tampoco es para ponerse así —le digo en plan defensivo.

—Presta atención y escucha:

Hasta que un día, Hanna, la hija del rey Ignacius, tropezó casualmente con el libro y cayó escaleras abajo.

—¿Qué pasa aquí? —preguntó, totalmente sorprendida.

Miró al suelo, levantó la alfombra, pero no vio nada.

—¡Qué raro! —comentó en voz baja—. Juraría que he tropezado con algo.

Convencida de que tenía que haber algún objeto, empezó a pasar las manos por el suelo hasta que...

—¿Qué es esto? Parece un paquete o una caja...

Con mucho cuidado, levantó aquel extraño bulto y lo sujetó con las dos manos.

—¿Qué será? —se preguntó con interés—. No pesa mucho, tampoco es muy grande y parece agradable al tacto.

La princesa Hanna, se sintió atraída por aquel extraño objeto y decidió que no pararía hasta descubrir de qué se trataba.

Lucía se calla y yo levanto la cabeza después de engullir otra cucharada de vainilla con chocolate. Me encuentro con una expresión desconocida en su cara. Está tan emocionada con la lectura, que hasta parece más... sí, eso es, más guapa.

4

El helado de ayer estaba buenísimo.

A pesar de que Lucía se enfadó un poco conmigo porque no presté atención a la historia del libro, reconozco que fue una tarde muy bonita. Aunque, lo mejor de todo, fue que Lucía se leyó todas las páginas ella solita y yo casi me tuve que comer su helado.

Anoche, cuando llegué a casa, dejé las páginas en el despacho de papá... nadie se ha dado cuenta.

La verdad es que se trata de una historia un poco rara. No sé a quién se le puede ocurrir escribir un libro invisible para que no lo lea nadie. ¿Para qué vas a escribir si luego no se puede leer?

Sin embargo, el helado sí que se veía bien. Ahí sí que no había duda de que estaba delante de mí, de que podía tocarlo... y comérmelo.

Creo que la heladería es un buen sitio para leer historias sobre libros invisibles... o lo que sea.

Es curioso, pero Lucía no ha venido hoy a clase. A lo mejor le sentó mal el helado y se ha puesto enferma. La verdad, ahora que lo pienso, eran muy grandes.

El caso es que la he echado de menos. Incluso me he aburrido un poco sin ella. Ya, ya sé que parece mentira.

—¿Qué tal te ha ido hoy en clase? —pregunta mi hermano mientras vamos hacia casa.

—Bien, normal... Nadie se ha metido hoy conmigo —le contesto—. Oye, Javier... ¿Tú crees en las cosas invisibles?

—¿Tú no? —responde inmediatamente.

—¿Tú sí? —digo un poco sorprendido.

—Debes de ser la única persona que conozco que no cree en las cosas invisibles —me recrimina.

—¿Qué dices? Las cosas invisibles no existen.

—¿Ah, no? ¿Los gnomos no existen? ¿Y las hadas? ¿Y los magos?

Ahí sí que me ha pillado. No se me había ocurrido pensar en eso.

—Yo me refiero a las cosas..., a los libros, por ejemplo. ¿Pueden existir los libros invisibles?

—Hombre, si son invisibles, es difícil saber si existen... Pero yo creo que sí. ¿Comprendes?

—Comprendo —le digo con resignación.

—Pues eso.

Ahora resulta que todo el mundo cree en las cosas invisibles menos yo. Parece ser que vivimos en un mundo lleno de objetos y personas que no se ven.

—¿Te puedo decir algo? —me pregunta Javier con su voz más inocente.

—Sí —le respondo tranquilamente—. Lo que quieras.

—César, no te enfades, pero yo creo que eres un poco tonto.

—¿Qué? —pregunto atónito.

—Bueno, no mucho, sólo un poco —dice, bajando la voz y mirando al suelo.

Efectivamente, tal y como sospechaba, resulta que hay cosas invisibles en mi personalidad.

—¿Soy un poco tonto porque no creo en las cosas invisibles? —le pregunto en un tono de ironía.

—No. Eres tonto porque no distingues las cosas visibles de las invisibles. Porque no comprendes cuáles existen de verdad y cuáles no —me explica con detalle.

—Oye, mocoso, yo sé muy bien cuál es la diferencia entre...

—No, tú no sabes nada. Estás enfadado con papá porque cambiamos continuamente de ciudad. Eso es lo único que ves.

—¿Y no es verdad? ¿No nos lleva de un sitio a otro como si...?

—Pero lo que no ves es que él necesita cambiar de sitio para escribir sus historias. ¡No lo hace para fastidiarnos!

Me detengo en seco y lo miro fijamente. Estoy tan sorprendido que ni siquiera me enfado.

—No te lo digo para que te enfades —me dice Javier, levantando la mano y haciendo el signo de la paz como los indios en las películas.

Trato de sonreír para que vea que acepto bien las críticas, pero no me debe salir muy bien porque se da la vuelta y sale corriendo, dejándome solo en plena calle.

Para mí, ha sido peor que una ducha fría de esas que nos dan en la clase de gimnasia.

Un poco más tarde, llego a casa y le doy un beso a mamá.

—¡Hola, César! —me saluda con cariño—. ¿Qué tal te ha ido?

—Bien —le respondo sin mucho convencimiento—. ¿Y papá?

—Está a punto de llegar. Lleva todo el día fuera escribiendo su novela. Espero que le haya cundido.

Inesperadamente, el teléfono empieza a sonar y Javier, que ya estaba en casa, se hace con él antes de que nadie lo coja.

—César, te llaman —dice a voz en grito desde el fondo del pasillo—. Es una chica.

—¿Una chica? —pregunto extrañado mirando a mamá—. ¿Seguro que es para mí?

Javier deja el auricular sobre el mueble y se aleja corriendo.

—¿Quién es? —pregunto, tímidamente, al aparato negro.

—Lucía, soy Lucía —me responde una alegre voz chillona.

—¿Lucía? ¿Qué Lucía? —interrogo.

—¿Cuántas Lucías conoces, eh?

—¿Eres la Lucía del colegio? —insisto, sabiendo cuál es la respuesta.

—Si sigues portándote como un tonto, colgaré el teléfono..., ¿entiendes?

—¿Quién te ha dado mi número de teléfono? —le pregunto, cambiando de tema.

—Pues Telefónica, tonto. Como lleváis poco tiempo en esa casa pues todavía no estáis en la guía, así que he llamado a Información y me lo han dado —me explica—. No ha sido tan difícil.

—Pero no sabes a nombre de quién está el teléfono —insisto, interesado en saber cómo ha resuelto el asunto.

—He preguntado por tu padre —responde con naturalidad.

—¿Mi padre? ¿Y cómo sabes tú cómo se llama mi padre?

—Lo ponía en la primera página de «El libro invisible»: César Durango... ¿No se llama así tu padre?

Hoy no es mi día. Hoy me toca quedar como un bobo, así que lo mejor es no seguir haciendo más preguntas.

—¿Te gustó el libro? —pregunta Lucía, dándose cuenta de que no voy a decir nada más.

—¿Te refieres a «El libro invisible»? —digo, haciendo nuevamente una pregunta estúpida.

Hay un silencio. Evidentemente, Lucía no está dispuesta a responder más preguntas estúpidas.

—Sí, creo que sí... —contesto finalmente—. No está mal.

—¿Que no está mal? —dice con tono de irritación—. ¿Dices que no está mal?

Me parece que me he metido en un nuevo lío.

—Bueno, quiero decir que...

—¿Cómo puedes decir una cosa así sobre una historia tan... tan... tan... ¡fantástica!...? —me reprocha.

—Tampoco hay que exagerar —me defiendo.

—Oye... ¿Tú has leído muchos libros en tu vida? —pregunta de repente.

—¿Qué? —logro decir, ya que me ha sorprendido con la preguntita—. ¡Claro que sí! Todos los que me mandan en el colegio.

—¿Seguro que te los has leído del todo?... ¿Y con ganas?...

—Bueno, sí... Casi todos... Prácticamente todos...

—Me parece que a ti no te gusta mucho leer —dice en tono de reproche—. No te...

—Oye, perdona, pero tengo que colgar... Es que me llaman para cenar, ¿sabes?

—Bien, pero consigue más páginas —me ordena.

—¿Páginas?

—Sí, páginas de «El libro invisible»... No querrás que me quede a medias, ¿no?

—Mañana nos vemos en el colegio. Adiós.

Esta chica es un huracán, un vendaval, un tornado. ¡Dios mío! Está loca y quiere volverme loco. Quiere hacer de mí un lector de libros. Quiere... ¡Yo qué sé lo que quiere de mí!... Yo sólo le llevé algunas páginas porque le estaba agradecido por haberme ayudado con aquellos chicos... Y ahora resulta que quiere más páginas... y mañana querrá más y más.

¿Qué voy a hacer?

—¡Hola a todos! —dice mi padre, entrando por la puerta— ¿Qué tal estáis?

Y además parece que viene de buen humor.

—¡Hola, cariño! —le dice mi madre, dándole un beso de bienvenida— ¿Qué tal te ha ido hoy?

—Bien, bien, muy bien. He escrito algunas páginas más. Esta historia es fantástica, se me ocurren miles de ideas. Va a ser un libro genial.

Durante la cena, mi padre no habla más que de su libro. Parece entusiasmado y dice que si todo sigue así, lo terminará en poco tiempo.

Mi madre y mi hermano Javier le miran embobados, como si estuviera hablando de algo real. No se dan cuenta de que está hablando de algo que no existe. Se trata sólo de un libro.

—Me voy a mi cuarto a trabajar —dice papá, apenas termina de cenar—. Estoy deseando pasar a ordenador todo lo que he inventado hoy.

Están todos locos. Hasta Lucía se ha contagiado de esa locura y no piensa más que en leer un libro que todavía no existe.

¡Lo que hay que ver!

5

—TENGO más páginas.

—¿Qué dices? —pregunta Lucía, poniéndose la mano en la oreja para hacerme comprender que he hablado demasiado bajo.

—Digo que he traído más páginas de «El libro invisible».

Ahora sí me ha oído porque me mira incrédula y contenta a la vez, lo cual es verdaderamente difícil.

—Déjamelas. Quiero leerlas.

—¿Estás loca? Estamos en clase y si nos ve el profe se nos va a caer el pelo —le digo, negándome a cumplir su petición—. Esta tarde las verás. En la heladería.

—¿Ya las has leído?

—No, quería leerlas contigo —digo, mordiéndome la lengua por haber hablado más de la cuenta.

Lucía me lanza una mirada maliciosa que más o menos siginifica: «¿Te va gustando la cosa, eh?».

Prefiero no decir nada, pero se equivoca. Todo esto es una tontería y, aunque no sé muy bien por qué lo hago, no quiere decir para nada que me guste. No señor, no significa que sea feliz leyendo un libro que aún no está terminado y que a lo mejor no se acaba nunca. A lo mejor lo que sí me gusta es leerlo mientras me tomo un helado.

Suena el timbre del recreo.

—¡Coge las páginas! —dice Lucía en plan jefa—. Vamos a leerlas.

—¿Durante el recreo? —le pregunto un poco sorprendido.

—¡Vamos, haz lo que te digo!

—Pero...

—¡No tenemos mucho tiempo! ¡No discutas!

No discuto. Abro mi cartera y saco las páginas impresas que llevo guardadas dentro de un libro grande, y salgo corriendo tras ella. Aunque sería más exacto decir que me dejo arrastrar por ella.

Bajamos las escaleras y cuando creo que

vamos a salir al patio, recibo una nueva orden:

—Por aquí... ¡Sígueme!

—¿Adónde?

Ella sigue bajando las escaleras que llevan al sótano, así que decido no seguir haciendo preguntas.

—¡Venga, corre antes de que nos vea alguien! —dice Lucía.

—Pero está prohibido bajar aquí.

—Por eso, así no nos molestará nadie.

Llegamos abajo y Lucía enciende una luz. Después, se lanza hacia el final de un largo pasillo en el que hay varias puertas cerradas.

—Aquí es —dice abriendo la puerta del fondo—. Entra.

—¿Qué es esto?

—El cuarto de la caldera de la calefacción, pero no te preocupes, no la van a encender.

—Esto es muy peligroso —protesto.

—Éste es un lugar secreto —dice cerrando la puerta tras ella—. Aquí estamos seguros.

Claro que estamos seguros. Aquí no bajaría nadie aunque empezara la tercera guerra mundial. Es el lugar más feo, sucio y abandonado que he visto en mi vida. Hay telarañas en el techo, cucarachas en el suelo y, posiblemente, las ratas nos acechan.

—¿Te gusta? ¿A que es bonito? Parece que estamos en un castillo encantado.

Ya sé que yo no tengo mucha imaginación, pero creo que Lucía es un poco exagerada.

—Sí, creo que éste es un buen sitio para leer «El libro invisible». Venga, empecemos —dice para animarme.

Hay una pequeña mesa con dos sillas en el centro de la estancia. Lucía, después de limpiar el polvo de una silla, se sienta en ella.

—Siéntate y empieza a leer. Ya sabes, cada uno lee una página.

—Estás un poco loca —le digo mientras limpio un poco mi silla—. Y me vas a volver loco a mí también.

—Deja de protestar y ponte a leer, que no tenemos mucho tiempo.

Esta chica no se rinde. Ya le puedes decir lo que sea, que no hay forma de desanimarla.

—Está bien —digo—, ya empiezo:

Hanna no se separaba nunca del libro invisible.

Jugaba con él y hacía travesuras. Lo ponía en el suelo para que la gente de palacio tropezara con él. Se divertía sin saber de qué se trataba, hasta que un día, al cogerlo después de hacerle tropezar al embajador de las islas Brumosas, que se hallaba en visita oficial, se dio cuenta de lo que era.

—¡Un libro! —gritó asombrada mientras todo el mundo la veía correr con las manos vacías—. ¡Es un libro!

El rey, al ver a Hanna hablar sola, en vez de enfadarse por la travesura, se sintió bastante preocupado.

—Mi hija se ha vuelto loca —le dijo al embajador mientras le ayudaba a incorporarse—. Debéis perdonarla.

Hanna se fue corriendo a su habitación que estaba en lo más alto de la torre central y se puso a pensar en el libro.

—¿Habrá algo escrito en este libro? —se preguntó.

Entonces, cogiéndolo con las dos manos, lo abrió y, poniéndolo al trasluz, frente al sol de mediodía, trató de ver si en aquellas páginas invisibles había algo escrito.

—¿Y había algo?

—¿Qué? —le digo.

—Que si había algo escrito —insiste Lucía.

—Espera, déjame leer —le respondo—. No, parece que no se ve absolutamente nada.

—Entonces, ¿en el libro, no hay nada escrito?

—No se sabe, lo único que pasa es que Hanna no ve nada —le explico.

—Si no ve nada es porque no hay nada —dice con ansiedad Lucía.

—Lucía, no seas pesada...

—Trae, déjame, ahora me toca a mí leer —dice, cogiendo las hojas.

—¡Oye, tú! ¡Que aún no he terminado...

—¡Calla! Calla y escucha:

Hanna se quedó muy decepcionada al comprobar que no veía ni texto ni dibujos en las páginas de aquel libro.

—Claro, no se ve nada porque es un libro invisible. Lo que tengo que hacer es que se haga visible y así podré leerlo.

—Oye, Lucía, ¿tú sabes cómo se puede leer un libro invisible? —le pregunto interrumpiéndola.

—No lo sé, jamás he tenido un libro invisible —dice—. Pero déjame leer:

Hanna estaba desesperada. No comía, no jugaba y no asistía a las clases con sus maestros, ya que no pensaba en ninguna otra cosa que no fuese el libro invisible.

—Mi hija está obsesionada con algo —le dijo un día el rey al bufón—. Tienes que distraerla, hacerla reír y que se olvide de aquello que le preocupa.

—Nadie puede resistirse a mis bromas —respondió el enano—. Soy capaz de matar de risa a quien me proponga...

—Pues si quieres conservar la cabeza en su sitio, haz que mi hija recupere el juicio —sentenció el rey Ignacius.

—Los padres son todos iguales —digo, interrumpiendo de nuevo la lectura de Lucía—. Siempre se entrometen en las cosas de sus hijos.

—Ten en cuenta que el rey está muy preocupado por su hija. Al fin y al cabo es la princesa del reino —argumenta Lucía.

—Pues yo no soy el príncipe de nada y mi padre siempre se está metiendo en mis asuntos.

—Mi madre también —asiente Lucía—. Claro que a mí siempre me llama princesa.

—¿Tu madre te llama princesa?

—Bueno, sí... De vez cuando.

—Anda, sigue leyendo —le digo.

Reconozco que la historia es apasionante. Mientras oigo leer a Lucía, me doy cuenta de que «El libro invisible» es una aventura alucinante y, aunque me cuesta trabajo reconocerlo, creo que mi padre es un fantástico inventor de historias.

Lucía y yo vamos leyendo cada uno una página. O más bien debería decir que las devoramos.

—¡Se ha terminado! —dice Lucía de repente—. Ya no quedan más páginas.

—¿Y qué vamos a hacer? —pregunto.

—Conseguir más —dice mi amiga—. Tienes que traer más páginas.

—Eso es muy fácil de decir —le respondo—. Ahora tenemos que volver a clase.

—Prométeme que traerás más páginas.

—Es muy difícil —le contesto—. Si mi padre me pilla, no sé qué pasará.

—No te quejes, que Hanna lo tiene mucho peor que tú.

—Sí, en eso tienes razón... ¿Tú crees que conseguirá leer «El libro invisible»? —pregunto con interés.

—A lo mejor... Si logra encontrar a alguien que la ayude... Ya ves que el bufón no ha conseguido nada —explica ella con pena.

—Sí, y el rey está muy enfadado con él. Creo que le va a cortar la cabeza y colgará su cuerpo en las almenas del castillo para que se lo coman los buitres.

—Es muy difícil ser bufón. Si no sabes hacer reír a la gente, mueres —dice, haciendo el gesto de cortar el cuello—. ¡Arrgg!

Creo que, aunque Lucía exagera, a lo mejor tiene un poco de razón: hacer reír a la gente es muy difícil.

—¿Qué hacéis vosotros aquí?

Levanto la cabeza y veo a Lorenzo con tres amigos suyos en la puerta del cuchitril. Tengo la impresión de que nos cierran el paso.

—¿A ti qué te importa? —le responde Lucía, con un tono bastante agresivo.

—Mira los tortolitos. Vienen aquí a leer cartas de amor.

—Sí, como Romeo y Julieta —le apoya uno de sus amigotes.

—Eres un inculto —le responde Lucía—. Romeo y Julieta no leían cartas de amor.

—Además —digo yo, apuntándole con el dedo—, nosotros no estamos leyendo cartas de amor.

—¿Ah, no? —dice Lorenzo, acercándose a la mesa—. ¿Qué estabais leyendo?

—A ti no te importa y no...

Pero ya es tarde, Lorenzo ha cogido las páginas de «El libro invisible» y se pone a leer.

—¡Escuchad!:

Hanna decidió buscar ayuda para hacer visible el libro que tanto le obsesionaba, pero no sabía a quién recurrir...

—¡Dame eso! —grita Lucía, lanzándose contra él—. ¡Dame eso!

Y comienza la pelea. Lucía empuja a Lorenzo después de darle una bofetada. Yo cierro los puños y me dispongo a pelearme contra los otros, pero me llevo algunos puñetazos y acabo rodando por el suelo. Lorenzo se sube a la mesa y comienza a gritar.

—¡Mirad lo que hago con vuestra historia!

Empieza a romper hojas de «El libro invisible». Yo trato de levantarme para impedirlo, pero los otros no me dejan y me llevo otro par de bofetadas.

Lucía, indignada, se lanza contra una pierna de Lorenzo.

Parece que todo está perdido cuando suena un pitido. Pero no es el que anuncia el fin del recreo, es el del vigilante que entra en el cuarto de la caldera atraído por nuestros gritos.

6

EL director trata de unir los trozos de las hojas de «El libro invisible» sobre la mesa de su despacho, pero no consigue ordenarlos.

Lucía y yo nos miramos con miedo. Estamos preocupados y un poco asustados. Dice que somos los responsables de todo el lío, ya que no hemos debido bajar nunca al cuarto de la caldera.

Además, Lorenzo y sus amigos dicen que la pelea la hemos empezado nosotros. Y, claro, como son cuatro, los creen más a ellos que a nosotros.

—El libro in... la princesa Han... el bufón... el castillo del rey Igna... —dice el director, leyendo algunos trozos de las páginas, imposibles de recomponer—. ¿Qué es esto?

Lucía y yo preferimos no responder. Bajamos los ojos y miramos al suelo.

—César, lee esto —me dice el señor director, entregándome media hoja, la única que tiene algunos párrafos completos—. ¡Lee antes de que me enfade! —me ordena.

La princesa Hanna no encontraba la forma de hacer visible aquel extraño libro y cada día empeoraba más. Pero, un día, después de que el médico saliera de su habitación, y a causa de la fiebre alta que padecía, habló de lo que le atormentaba. Sigfrido, un paje que la servía fielmente, lo escuchó todo.

—Creo que puedo ayudarte —le dijo éste al día siguiente—. Podemos ir a ver al Mago de la Montaña. Él puede hacer cosas imposibles.

—¿Dónde está ese mago? —inquirió la princesa con ilusión—. ¿Puedes llevarme ante él?

—En la montaña mágica de Artón —respondió el muchacho—. A dos jornadas a caballo. Vive solo en su cabaña y seguro que podrá hacer conjuros para que el libro se haga visible.

Hanna estaba tan ilusionada con aquella noticia que recuperó el ánimo y se fue a hablar con su padre.

El rey, que no creía en magias ni en fantasías, se negó a dejar marchar a su hija. La montaña de Artón estaba en tierra enemiga y temía por su vida. Sin embargo, la princesa no estaba dispuesta a renunciar tan fácilmente al viaje, ya que se había propuesto leer aquel libro, costara lo que costara.

Algunos días más tarde, Hanna llamó al paje a su habitación.

—Esta noche nos vamos —le informó—. Tengo dos caballos preparados y sé cómo salir del castillo sin que nadie se dé cuenta.

—Pero el rey nos castigará —protestó el pobre sirviente, completamente asustado—. A mí me mandará al potro de tortura.

—Si tienes miedo, iré yo sola —le dijo la princesa—. Explícame con precisión dónde vive ese mago y ya no te necesitaré.

—Si el rey se entera de que te he dejado ir sola, me tirará al foso de los dragones —dijo el aterrorizado paje.

—¿Entonces?

—Iré contigo —confirmó.

—¡Bien! —exclamó Hanna, dándole un beso en la mejilla—. Eres un valiente.

Esa noche, la luna llena acompañó a dos jinetes que salieron a escondidas del castillo en di-

rección a las montañas de Artón. Uno de ellos llevaba un libro invisible en un zurrón.

Desde una almena, el rey Ignacius los observaba con lágrimas en los ojos. «Espero que tengan suerte», pensó...

—Eso es todo —digo, devolviéndole el papel.

—¿Y puedes explicarme qué significa? —me insiste.

No me atrevo a decirle que es un libro que mi padre está escribiendo, porque si le llama y se lo cuenta, creo que acabaré en un correccional o algo así.

—Es un cuento que estoy escribiendo —dice de repente mi amiga Lucía a la que a partir de ahora debería llamar «Lucía, la salvadora».

—¿No me digas? —exclama el director como si no lo creyera.

—Quiere ser escritora —dice nuestro profesor—. Siempre dice que quiere escribir libros.

—¿Y los tiene que escribir en el cuarto de la caldera? —responde el señor director.

—Perdone —dice Lucía—, pero no estaba escribiendo, estábamos leyendo.

El director no responde. La mira con enfado, pero no dice nada.

Se sienta en su enorme sillón negro de respaldo muy alto y, acariciándose la barbilla, se balancea tranquilamente. En el despacho no se oye ni una mosca. Ni siquiera nuestra respiración. Nada de nada.

Todo el mundo espera la sentencia del señor director.

—¿Y de qué trata este libro? —le pregunta directamente a Lucía.

—Es sobre una niña que encuentra un libro invisible —le explica ella—. Y de todos los esfuerzos que hace para poder leerlo.

—¿Y lo consigue?

—No lo sé, todavía no lo he terminado —responde ella tranquilamente.

El vigilante y nuestro profesor sueltan una pequeña risita que irrita al director.

—Bien, vuelvan todos a clase —sentencia éste—. Ya seguiremos hablando de este tema. Ah, y no quiero más problemas, porque si no me enfadaré de veras... ¿Entendido?

Al volver a clase, todos los niños nos miran y a mí me da mucha verguenza que nos señalen con el dedo y hablen bajito de nosotros.

Estoy enfadado. Enfadado y harto.

—¡Se terminó! —le digo a Lucía—. Ya no habrá más páginas de «El libro invisible».

—¿Por qué no? —me responde, como si no se hubiera dado cuenta de la gravedad de los hechos.

—¿Y todavía me lo preguntas? —digo, sin salir de mi asombro—. ¿Es que no te das cuenta de lo que ha pasado?

Me mira despectivamente tras sus grandes gafas y, sin responderme, se pone a escribir en su cuaderno.

—No tienes personalidad —me dice al cabo de un rato—. Y, además, eres tonto.

Y dicho esto, coge sus cosas, se levanta y se sienta en un pupitre vacío de la última fila.

¡Pues mira que bien! Ahora tengo todo el sitio para mí solo. Ya empezaba a estar harto de la mocosa esta que no hacía más que complicarme la vida.

Hoy ha sido un mal día para mí.

He llegado a casa hace un rato y mi madre

me ha mandado poner la mesa, pero he tenido suerte porque mi padre ha salido de su despacho cuando estaba poniendo el mantel y se ha puesto a ayudarme.

—¿Qué tal te ha ido hoy? —le pregunto por hablar de algo.

—Muy bien, hijo... He estado toda la tarde en el ordenador y he escrito tres páginas más.

Mientras ponemos los cubiertos, me cuenta algunos detalles del libro. La verdad es que está absolutamente entusiasmado con su historia.

—¡Aquí llega la sopa! —anuncia mi hermano Javier entrando en el salón con la sopera humeante.

Mi madre nos sirve a cada uno porque es la única de la familia capaz de poner sopa en los platos sin manchar el mantel. Después, empezamos a cenar y ya me siento un poco más tranquilo.

—Esta noche ponen una película de risa —dice mi padre—, si os parece, podríamos verla.

—¿Qué película es? —dice Javier, que siempre es el primero en preguntar.

—Es una película que se titula «El mundo está loco, loco, loco», y trata de un montón de gente que va en busca de un tesoro escondido.

—¿Es de piratas? —pregunto yo.

—No, nada de eso. Es de gente de ahora que aún cree en los tesoros. Ésa es la gracia de la película.

—¿Tú crees en los tesoros? —le interroga Javier.

—Bueno, de alguna manera sí —responde papá en plan pensativo—. Escribir libros es como buscar tesoros... Es algo así como soñar que vas a encontrar una historia interesante que todo el mundo querrá leer. Un buen libro es igual que un tesoro.

—Entonces... ¿tú tienes muchos tesoros? —pregunto.

—Sí, y ahora con «El libro invisible» es como si estuviera buscando otro tesoro más.

Empieza la película y se ve a un tipo que cae en su coche por un barranco. Algunas personas bajan para ayudarle y él, antes de morir, les dice dónde hay un tesoro escondido.

Mientras nos tronchamos de risa, todos los

personajes salen corriendo para hacerse con el botín.

Es una película muy divertida y lo más gracioso es que no se sabe si el tesoro existe o es una broma del moribundo. A lo mejor por eso le han puesto ese título.

Pensándolo un poco, a lo mejor es verdad que el mundo está loco.

—Voy al servicio un momento —digo, levantándome.

Nadie me hace caso. Se están partiendo de risa con un matrimonio que, en ese momento, se ha quedado encerrado en un sótano y hace explotar la puerta con dinamita para poder salir. La puerta sigue intacta después de la explosión, pero ellos están pringados de pintura. Es una escena muy divertida que demuestra que buscar tesoros es un trabajo muy peligroso.

Cuando voy a entrar en el cuarto de baño, veo la puerta del despacho de papá entreabierta... y el monitor del ordenador encendido.

Me detengo un momento picado por la curiosidad. Mientras, mi padre da palmas riéndose a carcajadas.

Entro en el baño y me noto un poco intranquilo. Es como un hormigueo en el estómago. Creo que estoy a punto de hacer una locura...

Me lavo las manos mientras me miro en el espejo, entonces descubro que no voy a poder evitar hacer lo que no quiero hacer.

Salgo silenciosamente del baño y entro en el despacho de papá. Afuera, los sonidos de la película y las risas de mi familia se mezclan y casi lamento no estar con ellos. Se lo están pasando bomba.

Ahora he oído una explosión y la voz de un personaje que grita a los otros: «¡Ese tesoro es mío, y no lo compartiré con nadie».

Cojo el ratón y hago aparecer en la pantalla las últimas páginas escritas por papá..., y empiezo a leer.

—¡Dios mío! —exclamo al ver las primeras líneas—. ¡Es alucinante!

Ahora se oye un ruido estruendoso. Parece que un avión ha chocado contra la torre de control y el piloto está entusiasmado. O loco.

Alargo la mano y descuelgo el auricular. Después de oír el pitido, marco un número. Piii.... piii... piii.

—¿Quién es?

—¿Lucía? —digo en voz baja.

—Sí, soy yo... ¿Quién eres?

—Soy yo, César...

No contesta. La oigo respirar pero no contesta..., aunque tampoco cuelga.

—Escucha —le digo—. Acaba de pasar algo inesperado:

Hanna y Sigfrido llegaron a la cabaña de la montaña mágica, justo cuando el mago acababa de morir. Su criado, Tessius, un loco con un solo ojo que vigilaba la tumba, les explicó que ningún otro mago del mundo podría ayudarlos a materializar el libro invisible...

—Esto se complica —dice Lucía—. Ahora nadie podrá ayudarles a ver el libro.

—Hay más cosas, escucha:

El viejo criado los invitó a dormir en la solitaria cabaña. Al día siguiente, cuando los chicos se disponían a volver al castillo, les dijo:

—Ese libro sólo lo podréis leer a la luz de las minas de azufre... Pero son muy peligrosas, allí perdí este ojo. Además, si os descubren, os con-

vertirán en esclavos y pasaréis el resto de vuestras vidas trabajando en lo más profundo de las minas.

Hanna, a pesar del peligro que suponía, no estaba dispuesta a acobardarse.

—¿Dónde están esas minas de azufre? —preguntó con decisión.

—En el valle del Norte. No tenéis pérdida si seguís en esa dirección —les explicó el viejo Tessius—. Yo que vosotros no iría. Ese fuego tiene vida, os quemará la piel y os sacará los ojos.

Pero los dos amigos ya no le oían.

—Eso es muy grave —dice Lucía desolada—. Pueden morir.

—Espera y verás...:

Cabalgaron durante dos días y finalmente llegaron al deshabitado valle del Norte. Buscaron afanosamente las temidas minas de azufre, pero no encontraron absolutamente nada.

—Esto es una locura —protestó Sigfrido, al cabo de varias jornadas de búsqueda—. Estamos perdidos en la oscuridad, no sabemos dónde están esas minas..., si es que existen. Y todo para leer

un libro que no se ve y que a lo mejor no tiene nada escrito.

—Las encontraremos —le respondió Hanna con decisión—. Quiero leer ese libro y lo conseguiré con tu ayuda o sin ella. ¿Entiendes?

—Lo que entiendo es que estamos más locos que ese tuerto de Tessius —insistió el paje—. El rey no nos perdonará.

Sin hacer caso de las protestas de su compañero, Hanna continuó la búsqueda.

—¿Hay más? —pregunta Lucía, completamente enganchada a la historia.

—Sí, sí hay, sí... —le digo con emoción—. Escucha:

Los dos compañeros estaban perdidos, agotados y hambrientos.

—Es mejor volver al castillo e implorar el perdón del rey —comentó Sigfrido—. Los caballos están agotados, ya no pueden más.

Hanna no le respondió y siguió cabalgando. De repente, los lobos empezaron a aullar en la noche cerrada y el miedo hizo presa en el corazón de Sigfrido. Incluso la princesa miró con recelo hacia el bosque.

—¡Vámonos de aquí! —ordenó Sigfrido—. ¡Ya no puedo más!

Tiró de las bridas e hizo girar su caballo. Observó entonces a Hanna que, con cara de asombro, miraba a la lejanía.

—¡Mira! —le dijo ella—. ¡Allí!

Sigfrido giró la cabeza y vio en la oscuridad una brillante luz amarillenta que parecía salir del interior de una montaña...

—Ese maldito Tessius tenía razón —susurró el joven.

—¿Qué estás haciendo? —dice alguien detrás de mí.

Me han descubierto y me he asustado. Es Javier, que acaba de entrar.

—Nada. ¿Cómo va la película? —le pregunto.

—Bien. Ahora resulta que los policías también quieren encontrar el tesoro. Están todos locos, pero papá se lo está pasando de locura.

—Bueno, pues vuélvete al salón...

—¿Estás leyendo el libro de papá? —dice mirando la pantalla.

—No es asunto tuyo —le respondo—. No te metas...

—Si no me dejas leer, se lo voy a decir.

¡Lo que me faltaba! Que el mocoso de la familia venga a chantajearme.

—Lucía, tengo un problema. Ahora no puedo seguir...

—Dime si entran en las minas de azufre —ordena.

Eso es lo que se llama estar entre la espada y la pared.

—No lo sé. Aquí dice que ven muchos soldados armados vigilando la entrada de la cueva.

—Pero eso es muy peligroso...

—Ahora tengo que colgar. La película debe estar terminando. Mañana nos veremos y te lo contaré.

—No, imprime las páginas —dice desesperadamente—. A ti se te puede olvidar algo.

—Bueno, haré lo que pueda.

—¡Imprímelas! —dice justo antes de colgar.

—Está bien... El lunes nos veremos en clase.

—¡Ni hablar! Mañana te espero a las seis, en el portal de tu casa.

—Pero mañana es sábado y no...

—¡Hasta mañana! —dice antes de colgar.

Javier se queda mirando con cara de reproche.

—Te estás metiendo en un lío —me dice—. ¿Lo sabes, verdad?

7

No sé por qué le hago caso a esta mocosa de Lucía, pero he decidido ir a la cita de hoy. Espero que todo vaya bien y no tengamos problemas, porque con ella siempre pasan cosas malas.

Lucía es una curiosa, una entrometida y una lianta.

Bueno, también es atrevida... y eso me gusta. Sí, creo que es la chica más lanzada que he conocido en toda mi vida.

Pero es mejor que no se haga ilusiones conmigo, aún no pienso tener novia.

Lo digo porque llevo mucho rato en el portal esperándola y a lo mejor se cree que lo hago porque estoy loco por ella o algo así. Y de eso, nada. Estoy aquí porque hemos quedado y, además, en mi casa no hay nadie. Mi madre se ha ido de compras con Javier y mi padre debe de estar escribiendo en alguna cafetería. O sea, que si Lucía no viene, tendré que quedarme en la calle hasta que...

Le pregunto la hora a una señora que pasa por aquí y me dice que son casi las seis y media. Esto me pasa por bobo. Me podía haber quedado tranquilamente en casa viendo la tele en vez de hacer caso a esta niña estúpida.

—¡César! ¡César!

¡Por fin aparece!

—Lo siento —dice cuando llega al portal—. No he podido venir antes... De verdad que lo siento.

—Llevo aquí más de media hora esperando —le respondo—. Y hace frío, ¿sabes?

—Perdóname —insiste.

—¿Crees acaso que soy tu novio para tenerme esperando todo el tiempo que te dé la gana?

—No, no... No lo he hecho a propósito —responde.

La miro con cara de enfado, pero ni le respondo. Así aprenderá a no tomarme el pelo.

—Te invito a una hamburguesa y a un helado —dice de repente—. ¿Quieres?

—No sé si me conviene —le respondo.

—Si aceptas, yo puedo leer mientras comes —dice con esa voz que pone cuando quiere salirse con la suya.

—A mí me da igual, yo ya lo he leído —le contesto, para que vea que a mí no me domina.

—Anda, venga —dice en plan de ruego—, yo te invito.

Finalmente le digo que sí con la cabeza.

—Allí arriba hay un *Burger* —dice, señalando con la mano—. Acabo de pasar por delante y había poca gente.

Ella empieza a andar y yo la sigo aparentando una cierta desgana. Incluso procuro no hablar hasta que llegamos al sitio ese que se llama *Burger Flash.*

—Nos podemos sentar aquí, al lado del cristal —dice Lucía—, así no nos molestará nadie.

—Bueno —le digo mientras miro a la mesa.

—Sí, eso es, tú siéntate y dime lo que quieres, que yo te lo traigo.

Mientras miro la carta y le digo lo que me

apetece para merendar, pienso que, de repente, se ha vuelto muy simpática.

Un rato después aparece con dos bandejas repletas de cosas y se sienta enfrente de mí.

—¡Por fin! —exclama—. Ya estamos preparados.

—Toma —le digo—, aquí están las páginas. Ya puedes empezar a leer.

—Gracias —dice, lanzando una sonrisa de agradecimiento.

No sé cómo lo consigue, pero siempre le devuelvo la sonrisa. Después, cojo mi hamburguesa y le doy un buen bocado.

—Allá va:

Hanna y Sigfrido ataron sus monturas a un árbol, al pie de la montaña negra.

—Subamos —ordenó la princesa—. Ya hemos llegado.

—Ojalá no te hubiera hecho caso —protestó Sigfrido.

—Deja de quejarte —respondió ella—. Por fin vamos a saber qué hay escrito en ese libro.

La hamburguesa está buenísima y tengo que reconocer que Lucía lee muy bien. Sí señor, ahora que me doy cuenta, reconozco que esta chica tiene una preciosa voz. Voz de locutora de esas que doblan a los actores de cine.

—Escucha:

Procurando no ser vistos por los guardianes, llegaron hasta la entrada de la cueva. Ocultos tras las rocas, vieron cómo unos hombres semidesnudos que parecían esclavos mantenían las hogueras encendidas alimentándolas con paladas de azufre. De vez en cuando, otros trabajadores traían vagones cargados con el preciado mineral que acababan de extraer del fondo de la tierra. Algunas chispas, que saltaban y rebotaban contra las paredes, herían a veces a los mineros.

Cerca de las fogatas, protegidos por los escudos de los soldados, había hombres y mujeres que escribían ansiosamente sobre los pergaminos que mantenían apoyados en sus rodillas.

—Mira —dijo Hanna—. Son escribientes.

—Si los soldados nos descubren, nos convertiremos en esclavos —dijo Sigfrido, mirando la escena con los ojos muy abiertos—. Y nunca saldremos de aquí.

—Tenemos que acercarnos a una fogata —su-

surró Hanna—. Es la única forma de leer el libro invisible.

Y sin esperar respuesta de su compañero, empezó a descender por el interior de la cueva, escondiéndose entre las rocas. Sigfrido la miró con sorpresa y, después de tragar saliva, la siguió.

—Yo también quiero saber qué hay en ese extraño libro —musitó—. No me lo perdería por nada del mundo.

Unos minutos más tarde, Hanna, que ya estaba cerca de una fogata, abrió su zurrón, sacó el libro invisible y...

—¡Calla! ¡Cállate! —le digo a Lucía—. No digas ni una palabra más.

—¿Qué te pasa? ¿No te gusta como leo?

—¡Mi padre! ¡Mi padre está en ese rincón! —le digo, señalando con el dedo.

Lucía se queda con la boca abierta, sin decir nada.

—Tenemos que irnos —le digo en voz baja—. Antes de que me vea.

—Pero... ¿qué hace aquí tu padre? —dice Lucía, mirando de reojo.

—Supongo que escribir. Tiene la costumbre de escribir sus historias en bares y cafeterías... y, por lo que veo, también en hamburgueserías, pizzerías, pastelerías. En cualquier sitio donde haya gente.

—¡Quiero conocerle! —dice de repente.

—¿Qué dices? —le pregunto, sorprendido.

—Pues eso, que quiero hablar con él. Quiero saludarle, oírle... —me explica—. Es el primer escritor que conozco en mi vida.

—No tiene nada de especial —le replico—. Es como las demás personas. No te interesará. ¡Vámonos antes de que...!

Me ha dejado con la palabra en la boca. Se ha levantado y se marcha... ¡Se dirige hacia mi padre!

Decididamente, hoy no es un buen día para mí.

La loca de Lucía se ha detenido delante de la mesa de mi padre..., está hablando con él..., le da la mano.

¡Dios mío! ¿Qué va a pasar ahora?

Mi padre se gira hacia aquí, Lucía le indica con la mano donde estoy, él me está mirando y... ¡me saluda agitando el brazo! Ahora me hace gestos para que me una a ellos.

¡Lo que faltaba, reunirme con mi padre y con Lucía en una hamburguesería!

—¡Hola, papá! —saludo sin mucha convicción cuando llego a la mesa.

—¡Hola, César...! —responde él.

Parece contento de verme.

—Es usted escritor —dice Lucía—. ¿Qué escribe?

—Libros para niños —responde—. Es lo que más me gusta.

—Yo también quiero ser escritora de mayor —dice Lucía.

—¿Ah, sí? —dice papá con la cara iluminada por una extraordinaria sonrisa—. ¿De verdad piensas ser escritora?

—Sí, quiere ser como tú —intervengo.

—Sentaos si queréis —nos invita.

—Gracias, papá, pero ya nos íbamos —digo rápidamente.

—¿Cómo se consigue ser escritor? —le pregunta mi amiga.

—¿Seguro que no queréis sentaros?

—No, no..., de verdad que tenemos prisa —vuelvo a repetir.

—¿Es difícil escribir libros? —insiste Lucía.

—Bueno, sí... Cuesta trabajo pero es divertido —responde amablemente mi padre.

—¡Venga, Lucía..., vámonos! —digo, tirando de ella.

Consigo despegarla de la mesa de papá. Mientras nos alejamos, oigo la voz de él que se despide.

—¡Adiós, chicos! ¡Ya nos veremos!

Salimos a la calle y está lloviendo.

—Eres un poco tonto —me reprocha Lucía—. No sé por qué no podía hablar con tu padre. Al fin y al cabo somos escritores.

—¿Escritores? Tú no eres escritora todavía —le respondo bastante enfadado—. ¿Qué pretendías, ponerte a hablar con él de «El libro invisible»? ¿Eh?

—¿Crees que soy tonta?

—¡Sí! ¡Y entrometida!

—Pues conmigo no vuelvas a juntarte. Puedo vivir perfectamente sin ti. No sabes tener amigos.

—¡Eres tú la que no sabes comportarte!

—¡Que te parta un rayo! —me grita.

Después se da la vuelta y se marcha dejándome en la calle, solo bajo la lluvia.

8

HACE días que Lucía y yo no nos hablamos.

Está muy enfadada conmigo y no parece dispuesta a perdonarme.

He intentado charlar con ella, pero no ha habido manera. Incluso hoy le he dicho que traía más páginas de «El libro invisible», pero ni con ésas.

Y eso no es todo, en clase, las cosas han empeorado un poco. Lorenzo y sus amigos han vuelto a la carga, me han estado molestando... Preveo problemas.

Ha sido un día horrible, menos mal que ha terminado.

Acaba de sonar el timbre y el profesor ha dado por terminada la clase de hoy. Lucía recoge sus cosas, se levanta y se marcha sin decirme siquiera adiós.

Salgo a la calle y me encuentro con mi hermano Javier que me está esperando.

—Hoy he vuelto a tener pelea con uno de mi clase —me dice mientras caminamos hacia casa.

—A mí también me han estado molestando —le cuento.

De repente, noto un golpe en la cabeza. Me inclino, pongo la mano en la nuca y suelto un quejido.

—¿Duele?

Es Lorenzo y sus amigos que nos vienen siguiendo.

—¿Por qué habéis hecho eso? —dice mi hermano.

—Porque hemos querido. ¿Qué pasa?

Pasa que todo va a empeorar.

—A ver si eres tan valiente ahora que estás solo —dice Lorenzo.

—No está sólo —le responde Javier.

—¿Quién eres tú, mocoso? —le pregunta Lorenzo.

—¡Su guardaespaldas! —le contesta Javier, lanzándose a por él.

Tal y como están las cosas, a mí no me queda más remedio que enfrentarme con ellos.

Lo malo es que tardo un poco en reaccionar y los otros se adelantan... O sea, que empiezo a cobrar antes de lo que esperaba.

—¡Te vas a enterar, entrometido! —me gritan.

Caigo al suelo y, aunque trato de defenderme, recibo toda clase de golpes. A mi lado, Javier pelea como un león y se lo pone difícil a Lorenzo. ¡Cómo lucha el condenado!

A mí, las cosas se me están poniendo un poco mal. Lanzo puñetazos al aire y creo que no acierto ni uno. Los tres que tengo encima se ceban conmigo y no pierden ni una ocasión de atizarme. No sé cómo voy a salir de esto.

De repente, uno de los tres se pone a gritar... y parece que se queja.

Poco después, se levanta, se aparta de mí y deja de golpearme. A lo mejor es que se ha apiadado.

No entiendo muy bien lo que ocurre... Parece que alguien...

—¡Cobardes!... ¡Sois unos cobardes! —grita una voz.

¡Es Lucía! Ahora, entre el revuelo, la veo claramente... Está furiosa y no para de darles patadas.

Ahora que estoy liberado, me incorporo y la ayudo. Lorenzo, al ver que las tornas han cambiado, decide abandonar.

—¡No huyas, cobarde! —le dice Javier, al ver que se le escapa de las manos—. ¡Ven aquí!

—¡Vamos, valientes! —les digo a los otros—. ¡A ver si ahora os atrevéis!

—¡Largo de aquí! —les dice Lucía, finalmente, al verlos amedrentados—. ¡Sois unos miserables!

—¡Ya te pillaremos! —grita Lorenzo, mientras se aleja acompañado de sus secuaces.

Javier, Lucía y yo les hacemos burlas, y lanzamos algunas carcajadas para demostrarles que no les tenemos ningún miedo.

—En grupo son muy valientes —dice Lucía—, pero en solitario no son capaces de nada.

—A mí no me dan miedo aunque vengan por docenas —remata Javier.

—Espero que no vuelvan —digo yo.

—Desde luego, si vuelven, no será hoy —comenta Lucía.

—Gracias por tu ayuda —le digo a Lucía.

—¿Dónde has aprendido a pelear? —le pregunta Javier.

—Bueno, yo no sé nada de peleas —responde ella tímidamente—. Lo que pasa es que cuando os he visto desde el autobús...

—¿Te has bajado del bus para ayudarnos? —le pregunto.

—Pues... sí —contesta mientras se agacha para recoger su cartera—. Me ha parecido que necesitabais ayuda.

—Oye, tú..., yo no.

—Gracias —digo, cortando a Javier—. Si no es por ti, nos muelen a palos.

Noto que Javier nos mira con sorpresa. Creo que no conoce mi faceta de sumiso ante las chicas.

—Bueno —dice Lucía—, aquí no hacemos nada. Deberíamos irnos.

—Si quieres, te acompaño hasta tu casa —me ofrezco.

—Es que vivo un poco lejos...

—Por mí no os preocupéis —dice Javier echando a correr—. Yo me voy. ¡Adiós!

Ahora que nos hemos quedado solos, no se me ocurre nada que decir. Y me parece que a ella tampoco.

Caminamos un poco hasta que llegamos a una avenida ancha. Entonces, empieza a llover.

—Deberíamos protegernos —dice Lucía—. Parece que va a caer un chaparrón bastante gordo.

—Sí —digo, mirando al cielo cargado de nubes oscuras—, más nos vale buscar un sitio.

La lluvia arrecia y empezamos a correr.

—¡Allí! —dice Lucía, señalando con el dedo—. ¡Allí hay un sitio!

Efectivamente, a nuestra izquierda hay un portal solitario. Se trata de un local que ahora está cerrado. De todas formas, es un buen sitio para protegerse del agua. Nos metemos en el hueco de la entrada y nos sentamos.

La lluvia se hace más intensa y da la impresión de que nos vamos a tener que quedar bastante tiempo allí. Entonces, se me ocurre una idea.

—Si quieres —digo tímidamente—, podemos leer las páginas de «El libro invisible» que tengo en la cartera.

Me mira sorprendida y alegre a la vez.

—¡Es verdad! —grita—. ¡Esta mañana me has dicho que habías traído...!

—¡Y era verdad! ¡Mira!

No tarda ni un segundo en quitármelas de las manos.

—¡Guauuu! Hay un montón de páginas —dice con sorpresa.

—Lo malo es que hay poca luz —digo, mirando al techo.

—Es igual —dice Lucía, abriendo su cartera—. ¡Mira lo que tengo!

Enciende una pequeña linterna de bolsillo y proyecta la luz sobre la primera hoja de papel.

—A ver, ¿por dónde íbamos...? —pregunta.

—Pues creo que... Ah, sí, por lo de la mina de azufre. Creo que Hanna intentaba poner el libro a la luz de...

—Sí, sí..., calla y escucha:

... y algunas chispas saltaron sobre él. Ella las apartó valientemente con la mano y se dispuso a leer.

—¡Intrusos! ¡Intrusos! —gritó de repente un guardián, señalándolos con la punta de su lanza.

Instintivamente, Hanna cerró el libro y se levantó.

—¡Estamos perdidos! —exclamó Sigfrido—. ¡Huyamos!

La joven princesa comprendió que no tenían otra alternativa y, muy a pesar suyo, emprendió la huída. «Mala suerte», pensó.

Los dos jóvenes corrían como gacelas, saltando por encima de las rocas y esquivando a los soldados que se interponían en su camino. Al verlos, los trabajadores empezaron a gritar y, en pocos minutos, la cueva se había convertido en una jaula de locos.

Corrían desesperadamente hacia la salida de la cueva, pero los guardianes no les perdían de vista y estaban a punto de alcanzarlos.

Entonces, y ante el asombro de Hanna, Sigfrido actuó con valentía. Se detuvo al lado de una vagoneta cargada de azufre y, haciendo un esfuerzo supremo, trató de derribarla. Sin embargo era muy pesada y apenas consiguió moverla.

—¡Ayúdame! ¡Ayúdame! —le ordenó el joven.

Aunando esfuerzos, entre los dos consiguieron arrojar todo el azufre sobre una fogata cercana.

Se produjo una explosión y las chispas saltaron en todas direcciones, convirtiendo la cueva en una espectacular fiesta de fuegos artificiales. Todo el mundo corrió a resguardarse y los dos compañeros de aventuras aprovecharon la confusión para salir de la cueva mientras algunas bolas de fuego volaban sobre sus cabezas.

Llegaron al lugar en el que estaban sus caballos, pero, éstos, asustados por la explosión, huyeron corriendo dejando a sus amos en tierra.

—¡Mira! —dijo Hanna, señalando la entrada de la cueva de la que salían constantemente hombres armados—. ¡Vienen a por nosotros!

Sigfrido y la princesa se agarraron de la mano y, juntos, se perdieron en la maleza cuando aún era de noche.

Lucía levanta la cara con una expresión extrañísima.

—Nunca conseguirá leer ese libro —dice muy apenada.

—Nosotros tampoco. Las páginas se han terminado.

—Supongo que podrás traer más mañana.

—Haré lo posible —contesto—. Ya tengo ganas de saber qué pasa con este libro.

—Y yo —repite Lucía—. Y yo.

Es tarde, ha dejado de llover y nos vamos a casa. Por primera vez en mi vida, tengo ganas de leer un libro de mi padre.

9

Hoy también llueve.

Llego al colegio empapado y de mal humor. Veo a Lucía que me sonríe desde el pupitre.

—¡Hola, buenos días! —me saluda antes de tomar asiento—. ¿Has traído más páginas?

—No. Hay un problema grave —le explico—. La impresora no funciona.

Lucía es muy expresiva y la desilusión se refleja en su cara.

—Lo siento —le digo—, yo también estoy deseando saber cómo les va a Hanna y a Sigfrido con el libro.

Lucía no responde. No es que esté enfadada conmigo porque sabe muy bien que yo no tengo la culpa de lo de la impresora, es que se ha quedado un poco chafada.

—No te preocupes —dice al cabo de un ratito—, tú no tienes la culpa.

Es lo que yo decía.

—¿Cómo podías saber que la impresora se iba a estropear? —insiste.

—Tienes razón —le contesto—. Yo no podía saberlo.

—No, no podías.

Otra vez el silencio.

No sé cómo ha sido, pero me siento un poco culpable de que la dichosa impresora se haya puesto tonta.

—Le han dicho a mi padre que estará arreglada la semana que viene —termino diciendo.

—¿Y qué hacemos mientras tanto?

—Esperar tranquilamente.

—No. Iremos esta tarde a tu casa y lo leeremos en la pantalla.

—¿Bromeas?

—Lo digo muy en serio. Al fin y al cabo, yo no tengo la culpa de que la maldita impresora no funcione.

—Ni yo tampoco —protesto.

—¡Ya!

Lo sabía. No sé por qué, pero lo sabía. Al final yo soy el culpable de todo.

—Me invitas a merendar a tu casa y con

esa excusa, pues eso, nos colamos en el despacho de tu padre.

Creo que ya lo he dicho en algún momento, esta chica lo ve todo muy fácil. Y luego, claro, pasa lo que pasa y las cosas se complican.

Y lo más curioso es que a ella parece que no le preocupa que las cosas se líen... ¿Cómo lo hará?

—Te agobias por todo —dice en este preciso momento—. Mira qué cara tienes, parece que te acaba de pasar un tren por encima.

—No te burles de mí —le imploro—. Si mi padre nos pilla mirando su ordenador, me mata.

—No te preocupes, yo te defenderé —dice para consolarme.

Ella no lo sabe, pero paso el resto del día muy preocupado. A la hora de salir, se pega a mí como una sombra y comprendo que, irremediablemente, iremos juntos a mi casa.

En la calle nos encontramos con Javier.

—He invitado a Lucía a merendar —le digo.

Me mira con un gesto malicioso y contesta:

—Tened cuidado de que no os pillen.

—¿Qué dices? —le pregunto bastante sorprendido.

—Ya sabes tú a lo que me refiero.

Mamá nos abre la puerta.

—Ésta es mi amiga Lucía y la he invitado a merendar, ¿te parece bien? —le explico.

—Claro que sí, hijo. Haces bien en traer a tus compañeras de clase —dice, dando un beso a Lucía.

—Gracias, señora. César y yo nos sentamos en el mismo pupitre y somos muy buenos amigos.

—¿Ah, sí? Pues no me había hablado de ti. Es que es muy tímido con las chicas, ¿sabes?

—Sí, ya lo sé. Me cuesta mucho trabajo hacerle hablar.

Están hablando de mí ignorando mi presencia. Como si estuvieran hablando de otra persona.

—Pues os voy a preparar una merienda que os vais a chupar los dedos —dice mamá.

—Si quiere la puedo ayudar, soy muy buena cocinera, ¿sabe? ¿Le he dicho ya que conozco a su marido?

—¡No me digas! ¿Y cómo es eso?

—Estuvimos en un *burger* con él la otra tarde y nos habló del libro que está escribiendo —dice Lucía.

—¿Te refieres a «El libro invisible»?

—Sí..., ¿sabe usted que yo también voy a ser escritora?

Como para ellas soy un cero a la izquierda, se van a la cocina y me dejan aquí, abandonado.

Entro en mi habitación, dejo la cartera sobre la mesa y pongo un poco de orden. Por si acaso entra Lucía...

Después, me acerco a la habitación de papá y me asomo sigilosamente.

No hay nadie y el ordenador está apagado.

Vuelvo a cerrar la puerta y me acerco a la cocina.

—César, hijo —dice mamá—, tenías que haber traído antes a Lucía. Es muy simpática y te comprende muy bien.

Lo que me faltaba por oír: ¡que Lucía me comprende!

—Sí, mamá —contesto dócilmente.

Me da igual lo que digan, no pienso discutir.

—Venga, anda, sentaos a merendar, que yo tengo que ir a hacer un recado.

Nos acomodamos en la mesa de la cocina. Han preparado sándwiches y naranjada. Eso por lo menos me gusta.

Mamá se despide con la promesa de volver pronto. Parece que su recado será corto.

Lucía me lanza una mirada inocente de esas que han engatusado a mamá, y se pone a comer.

Como dos niños buenos, nos quedamos en la cocina tomando tranquilamente la merienda.

Y como con la boca llena no se habla, pues eso...

—¡Ya he terminado! —dice finalmente Lucía, limpiándose la boca con la servilleta—. ¡Ha llegado el momento!

Yo tomo un larguísimo trago de naranjada y también hago uso de la servilleta.

—Sígueme —le ordeno, poniéndome en pie.

El despacho de papá está a oscuras pero

no enciendo la luz. Con la que entra por la puerta consigo conectar el ordenador.

Poco a poco, voy abriendo programas, ventanas, archivos, aplicaciones y cosas de esas que tienen los ordenadores.

—Eres un experto en informática —dice Lucía con admiración.

La verdad es que no lo había pensado, pero ahora que lo dice... Creo que es mejor no desengañarla.

—Bueno, la verdad es que se me da bastante bien.

—¡Ahí está! Arriba lo pone... —dice de repente, al ver el título de «El libro invisible» en una lista de archivos.

—Ya voy, ya... —respondo manejando el ratón.

En la pantalla aparece por fin lo que estamos buscando: El libro invisible. Por César Durango.

Lucía se queda pasmada, con los ojos muy abiertos, mirando la pantalla.

—¡Ahí va! ¡Es el libro!

—¿Qué pasa? ¿Es que nunca has visto un libro en un ordenador?

—¡No! ¡Jamás lo había visto! ¡Es increíble!

Con esta chica todo es muy raro. Llevo toda la vida viendo los libros de mi padre en el ordenador y nunca me ha parecido nada del otro mundo. Ahora llega esta loca y ¡hala! ¡Qué maravilla! ¡Bah! Creo que es un poco exagerada.

—Espera, no corras tanto —dice, cogiéndome del brazo—. Pasa las páginas más despacio..., más despacio, por favor...

—O sea, siempre tienes prisa por leer y hoy, precisamente hoy, que estamos en peligro, me dices que no corra.

—Tienes razón, pero esto... es especial. Lo ha escrito un escritor. Escucha:

—¡Por aquí! —les dijo un hombre fuerte, de pelo largo y armado con un gran arco de madera, que se encontraba varios metros por delante—. ¡Seguidme!

Hanna y Sigfrido se abstuvieron de hacer preguntas y lo siguieron entre árboles y matorrales. Durante horas caminaron en la oscuridad hasta que, al llegar a la orilla de un río, el sol iluminó el cielo con un bello color rosado.

—Creo que les hemos despistado —dijo el

extraño, tumbándose en el suelo completamente agotado—. Podemos descansar un poco.

—¿Quién eres? —preguntó Hanna—. ¿Por qué nos has ayudado?

—Me llamo Nasshan, soy cazador y suelo traerles alimentos. A mí no me harán nada, pero si os cogen, estáis perdidos. No les gustan los extraños —explicó—. Por eso os he ayudado... Habéis tenido suerte de que estuviera por aquí cerca.

—¿Qué pasa en esa mina? —preguntó Sigfrido.

—Es un secreto —replicó el hombre—. Nadie sabe quién ha creado esa cueva... ni desde cuándo existe.

—¿Por qué hay tantos esclavos y soldados? —quiso saber Hanna.

—No son esclavos, trabajan voluntariamente para ayudar a los escribientes. Esa gente tiene muchas ideas y cosas que contar, por eso mantienen la cueva iluminada de día y de noche, para que puedan escribir sin cesar —explicó Nasshan, echándose agua a la cara—. Los soldados están allí para protegerlos de los intrusos.

—¿Ahí es dónde se hacen los libros? —preguntó Hanna con asombro.

—Más o menos —respondió el cazador después de reflexionar un poco, como si nunca hubiera pensado en ello—. ¿Qué hacéis vosotros aquí?

Hanna y Sigfrido se miraron.

—Queremos leer un libro invisible —dijo ella, golpeando el zurrón que llevaba colgando del hombro—. Nos dijeron que esa cueva era el único lugar del mundo para...

—No es verdad —interrumpió Nasshan—. Hay otro sitio donde se pueden leer libros invisibles.

—¿Dónde? —preguntaron ansiosamente los dos muchachos— ¿Dónde está?

—Un poco lejos —contestó el cazador, señalando hacia el norte con una flecha—. A dos días de aquí, río abajo.

—Si nos llevas, te pagaremos bien —ofreció Hanna, sacando unas monedas de oro del zurrón.

—Venid conmigo, yo os llevaré —dijo, poniéndose en pie, después de coger el dinero—. Iremos en mi barca.

Los jóvenes se dispusieron a seguirle pero, en ese momento, se desencadenó una terrible tormenta y empezó a llover torrencialmente.

De repente, la potente voz de papá suena a mis espaldas, desde la puerta del despacho:

—¿Qué hacéis aquí?

10

—BUENAS noches, señor Durango —dice Lucía, reaccionando rápidamente.

—¡Hola, papá! —digo, sacando mi mejor sonrisa.

Papá no se mueve. Está en la puerta, con los brazos cruzados, mirándonos severamente.

—Jovencitos, ¿me podéis explicar qué buscáis en mi ordenador? —dice, encendiendo la luz del despacho.

—Estamos tratando de saber si Hanna y Sigfrido pueden leer el libro invisible —responde Lucía con valentía.

Me parece que es ahora cuando empieza la bronca en serio. De todas formas, la culpa es mía, ya sabía yo que nos pillarían.

—¿Y quién os ha dado permiso para hacer lo que estáis haciendo? —pregunta de nuevo.

—La culpa es mía, papá —digo, sacando valor de no sé dónde.

—Él no quería, pero yo le forcé —dice Lucía, viniendo en mi ayuda.

—O sea, que los dos sois culpables, ¿no es así?

Papá entra en la habitación y se sienta en su silla, ante el ordenador.

—¿No sabéis que esto es secreto?

Esta vez no respondemos, pero en nuestra cara se nota que sí, que sabemos que es secreto.

Papá tampoco dice nada. Tamborilea con los dedos sobre la mesa. Parece bastante enfadado.

—Nos gusta mucho su historia —dice tímidamente mi amiga—. Si supiera usted todo lo que hemos tenido que pasar para seguirla, no se enfadaría con nosotros.

Papá levanta la vista y la mira con una extraña expresión.

—Sí, señor —insiste ella—. Hemos tenido muchos problemas y ha sido todo muy difícil.

—¿De qué hablas? —pregunta él de repente.

—Pues eso, de que cuando empezamos a leer la historia ya no pudimos dejarla, y luego las cosas se complicaron.

—¿Desde cuándo estáis leyendo «El libro invisible»?

Tardo un poco en responder, pero finalmente me atrevo.

—Casi desde el principio.

—¿Durante todo este tiempo habéis estado leyendo la historia a escondidas? —pregunta mi padre, absolutamente sorprendido.

—Sí, señor —dice ella—, es una historia muy interesante... y divertida.

—Yo le llevaba las páginas impresas al colegio —explico—. Ésta es la primera vez que venimos aquí.

—Sí, señor, por culpa de la impresora.

—Esto es increíble —dice él, levantándose y llevándose las manos a la cabeza.

Sale del despacho. Nosotros no sabemos qué hacer, así que nos quedamos quietos, sin decir una palabra.

Un poco después, vuelve con una cerveza en la mano.

—Estoy asombrado —dice mientras se sienta—. Casi no me lo creo.

—Pues es verdad. Y, además, hemos tenido pelea por culpa de «El libro invisible» —continúa Lucía.

—Y se han burlado de nosotros —la apoyo.

—Pero a nosotros nos daba igual y seguíamos leyendo.

—Sí, y nos lo hemos pasado muy bien.

—Ha sido como vivir una aventura de verdad.

—Es que ha sido una aventura de verdad —digo.

Tengo la impresión de que mientras hablamos, las cosas mejoran.

En ese momento, oímos que la puerta de la calle se abre.

—¡Hola! —dice mamá alegremente—. ¡Ya estoy aquí!

Unos segundos después, se asoma por el despacho de papá. Va a decir algo pero, al ver el ambiente, su sonrisa desaparece.

—¿Qué pasa? Parece que ha ocurrido algo grave.

—Siéntate —dice mi padre—, escucha lo que han hecho los niños.

Ella entra y toma asiento. Cruza los brazos

y espera pacientemente a que alguien le cuente algo, pero nadie habla. Nadie sabe por dónde empezar. Finalmente, es papá el que en pocas palabras la pone al corriente de los hechos.

Creo que se queda un poco desconcertada. Algo así como si no supiera qué hacer: si reír o llorar.

—La culpa es toda mía —dice Lucía—. Quiero ser escritora de mayor y le pedí a César que...

—También es culpa mía —digo.

Papá levanta la mano para que me calle.

—Pero... ¿por qué no me lo dijiste desde el principio? —pregunta papá—. Yo os hubiera...

Suena el timbre. Debe ser Javier.

Mamá se levanta a abrir la puerta y vuelve un poco después con mi hermano.

—¿Todavía estás aquí? —dice mi hermano al ver a Lucía—. ¿Pasa algo?

Entra también en el despacho y se sienta con nosotros.

—¿Cuál es el motivo de esta reunión familiar? —pregunta en plan simpático—. ¿Es que nos ha tocado la lotería?

Papá se pone en pie y comienza a hablar:

—Pues mira, estos dos jovencitos llevan meses sacando secretamente de mi ordenador las páginas de «El libro invisible».

Javier nos mira con una expresión que dice claramente que él ya lo veía venir y que ya me había avisado.

—¿Las has vendido? —pregunta.

—¿Qué? —exclama mi padre, que no había contemplado esa posibilidad—. Espero que no..., ¿verdad, chicos?

—Sólo las hemos leído nosotros —se rebela Lucía—. Nunca se nos habría ocurrido hacer eso que dice Javier.

—Papá, te juro que sólo queríamos leerlo, nada más.

—Pues es muy raro —dice Javier—. Nunca te han interesado los libros de papá. Éste debe ser el primero que lees.

—Para que lo sepas, le ha gustado mucho —me defiende Lucía—. Le gusta mucho lo que escribe tu padre.

—¿De verdad? —pregunta papá.

—Bueno, la verdad es que «El libro invisible» me ha gustado mucho... Me parece una historia interesante y estoy deseando conocer el final.

Papá me mira sorprendido. Creo que no se imaginaba mi respuesta.

—Me parece que debe ser un poco tarde para Lucía —dice mamá en ese momento—. En su casa estarán un poco inquietos.

—¿Puedo acompañarla? —digo—. Es que vive un poco lejos y...

—No os preocupéis —dice mi padre—, yo os llevaré en el coche.

Por una vez, todo el mundo está de acuerdo. Después de las despedidas y de la promesa de que Lucía vendrá a menudo por casa, nos vamos.

Me resulta curioso ver cómo mamá y Lucía han hecho tan buenas migas.

Ya en el coche, Lucía vuelve a la carga con su tema favorito:

—¿Es muy difícil ser escritor? —le pregunta a mi padre.

—Lo difícil es responder a tus preguntas —dice éste, en tono de broma.

—Usted no responde nunca —continúa Lucía—. No nos ha querido decir cómo termina «El libro invisible».

—¿Quieres saberlo? ¿O prefieres esperar a que salga el libro y lo puedas leer tú misma?

Lucía y yo nos miramos sorprendidos.

—Si queréis —dice él—, os lo digo.

—Tenemos muchas ganas de saberlo —dice Lucía, dominada por la impaciencia.

—Pero esperaremos a que publiques el libro —digo, interrumpiendo a mi amiga.

—Haremos algo mejor —dice papá, deteniendo el coche ante el portal de Lucía—. En cuanto se publique, haremos una fiesta para celebrarlo, y seréis los primeros en leerlo.

11

ALGUNAS semanas después, mientras desayunamos, mamá me dice:

—César, papá quiere hablar contigo.

—¿Conmigo? —pregunto un poco extrañado.

—Sí, me ha comentado que, a lo mejor, nos quedamos también el año que viene en esta casa. Creo que ya no tiene muchas ganas de seguir viajando.

—¿Quieres decir que nos vamos a quedar aquí para siempre? —digo, absolutamente emocionado.

—Posiblemente —dice ella—, posiblemente.

—¿Cuándo te lo ha dicho? ¿Crees que va en serio?

—No sé, pregúntaselo tú mismo. Está en el cuarto de baño.

Termino mi desayuno justo cuando sale del servicio.

—Papá —le digo—, me ha contado mamá que nos vamos a quedar aquí para siempre.

Me mira un poco sorprendido.

—¿Eso te ha dicho?

—Sí, ahora mismo. En la cocina.

—Pues si lo dice mamá, será verdad. ¿No te parece?

¡Yupiiii! Doy un salto y me abrazo a su cuello.

—Papá, te quiero —le digo al oído.

—Lo sé, hijo, lo sé.

—Venga, que ya es hora de irse al colegio —dice mamá—. Tu hermano Javier ya se ha ido hace un rato.

Voy a mi habitación a coger el anorak y la cartera.

—Por cierto —dice papá, después de darme el beso de despedida—, ¿qué tal está Lucía?

—Bien. Ha escrito un cuento y lo ha presentado a un concurso del colegio. A lo mejor gana.

—¿Por qué no hacemos una cosa? —propone—. Voy a buscaros esta tarde, a la salida de clase, y nos tomamos algo juntos.

—¿Esta tarde? ¿De verdad?

—Si quieres...

—Podemos quedar en la heladería que hay enfrente del colegio.

Papá asiente con la cabeza.

—Voy a contárselo a Lucía, se pondrá muy contenta.

Salgo a la calle y echo a correr. Hace un día lluvioso pero a mí me da igual porque es el día más feliz de mi vida, y aunque cayeran truenos y lloviera granizo del gordo, me importaría un comino.

Llego al colegio y entro rápidamente en busca de mi amiga. Estoy contento de poder darle una buena noticia. Pero alguien se interpone en mi camino.

—¿Dónde vas tan deprisa?

Es Lorenzo. Me impide el paso y está con sus amigos.

—Hoy no tienes a nadie que te defienda, ¿eh?

—Dejadme en paz —les digo—. No quiero problemas.

—Pues entonces no vuelvas a este colegio.

Aquí no te queremos —insiste. Y me da un empujón... Y otro....

Todo el mundo me mira. Si permito que esto siga así me tendré que ir de aquí, nadie me respetará. Creo que ha llegado el momento de arreglar las cosas.

—No me sigas empujando —le ordeno.

—Vete de aquí —repite—. No te queremos en este colegio.

—Creo que haré algo mejor —contesto—. Me quedaré en el colegio este año, el que viene, el otro, y el otro..., y todos los que yo quiera.

—Te vamos a hacer la vida imposible —me amenaza Lorenzo.

—Sí, te quitaremos las ganas de quedarte aquí —dice uno de los suyos.

—Esto lo vamos a arreglar aquí ahora mismo —les advierto.

Lorenzo no cree lo que acaba de oír. Aprovecho la sorpresa, doy un paso adelante y me quito el anorak, tirándolo al suelo con la cartera.

—¡Aquí estoy! —grito—. ¡Venga, venga...!

Los otros dan un paso atrás.

—¡Vamos, valientes! ¡Sois tres contra uno! ¿Es que me tenéis miedo?

Estoy furioso. Y creo que se han dado cuenta.

—¡Estoy solo y no os tengo miedo! —insisto—. ¿A quién vais a hacer vosotros la vida imposible? ¿Eh?

Pero no reaccionan. Resulta que no son tan valientes como parecían.

—Bueno, bueno, tampoco es para ponerse así —dice de repente Lorenzo al ver que la cosa no resulta como él había pensado.

Y, poco a poco, empiezan a retroceder.

Por un momento, estoy a punto de dejar el asunto así, pero enseguida reacciono y me dirijo hacia Lorenzo. Me planto ante él y le impido el paso.

—Jura ahora mismo que no me vas a seguir molestando... ¡Júralo!

Mira hacia sus amigos, pero se ha quedado solo.

—O lo juras, o te aseguro que...

—Bueno, hombre... —empieza a decir—. Si te pones así...

—¡Júralo! ¡Júralo! —insisto, acercándome más.

—Está bien, está bien... Te dejaremos en paz —promete. Pero a mí no me parece suficiente.

—¡Quiero que lo jures!

—Vale, vale, lo juro —declara finalmente, levanta las manos en señal de paz y se pierde entre los chicos y chicas que nos rodean.

Me tiemblan las piernas, las manos y las orejas. El corazón va a mil por hora y estoy a punto de desmayarme o algo así. Tengo la garganta seca y no podría decir ni una sola palabra.

Aún no sé de dónde he sacado tanto valor.

—Te has portado como un héroe —dice alguien.

Giro la cabeza y encuentro a Lucía.

—Lo he visto todo —dice—. Y estoy orgullosa de ti.

No puedo responder pero agradezco sus palabras. Silenciosamente, nos dirigimos a clase. Nos sentamos en nuestro pupitre y, un poco más tarde, le paso una nota que dice: «Mi padre nos invita a un helado esta tarde.»

—Me alegro mucho —dice muy bajito,

después de leer el mensaje—. Nos lo pasaremos bien.

Parece que las cosas han mejorado este año. Por primera vez me siento contento de estar en un colegio. Y creo que le debo mucho a Lucía...

Cuando la clase termina, Lucía y yo somos los primeros en salir. Bajamos las escaleras, cruzamos el patio y llegamos a la heladería en un abrir y cerrar de ojos.

Papá está sentado en una mesa, al lado de la cristalera.

—¡Buenas tardes, señor Durango! —saluda Lucía.

—¡Hola, chicos! —responde él mientras nos sentamos.

Me doy cuenta de que tiene la mesa llena de hojas.

—¿Has estado escribiendo? —le pregunto.

—Sí, llevo aquí toda la tarde y, la verdad, ha sido una sesión bastante productiva.

Lucía y yo nos miramos. En realidad, nos morimos de ganas de preguntarle por «El libro invisible», pero nos aguantamos.

—¿Qué van a tomar los señores? —pregunta en ese momento el camarero antipático.

—Lo de siempre, ya sabe: dos helados de vainilla con una guinda en cada uno —le ordeno.

—Comprendido.

—Sobre todo, no se olvide de las guindas, es muy importante —insisto con un poco de ironía.

El hombre está a punto de retirarse cuando papá interviene:

—Yo también quiero otro —le pide—. Y también lo quiero con guinda, ¿entiende?

—Sí, señor.

Cuando nos quedamos solos, papá me guiña un ojo.

—¿Queréis que os lea lo que he escrito hoy?

—¡Claro que sí! —exclama Lucía emocionada.

—Sí, sí nos gustaría —digo.

Papá sonríe de satisfacción, coge sus papeles y los ordena.

—Bien, pues prestad mucha atención:

Dos días después, Hanna, Sigfrido y Nasshan desembarcaron en la orilla de un río ancho y tur-

bulento. El cazador los había llevado hasta un valle situado entre grandes montañas verdes.

—Éste es el lugar del que os hablé —dijo el cazador—. Aquí no hay peligro para vosotros y podréis resolver vuestro enigma. Que tengáis suerte.

Después de despedirse calurosamente, Nasshan alejó la barca de la orilla y, remando con fuerza, desapareció entre la bruma de la mañana.

Los chicos se quedaron quietos hasta que la niebla se disipó. Entonces, dos hombres de barba blanca salieron a su encuentro. Con amables palabras les dieron la bienvenida y les invitaron a sentarse bajo un gran olmo centenario. Tranquilamente, Hanna les explicó el motivo de su expedición mientras, a su alrededor, pasaban personas que transportaban libros. Docenas de hombres y mujeres se esmeraban en organizar libros de toda clase. Los clasificaban y después los archivaban en grandes cobertizos de madera en cuyas larguísimas estanterías quedaban almacenados hasta que alguien venía a pedir alguno para leerlo. La gigantesca biblioteca formaba parte del paisaje en aquel valle tranquilo y solitario.

—Éste es el valle de los libros —explicó uno

de los ancianos—. Aquí guardamos todos los ejemplares que caen en nuestras manos.

—¿Para qué los queréis? —preguntó el paje.

—Para que no se pierdan —respondió—. Para que todo el mundo pueda leerlos algún día.

—Éste es el libro del que os he hablado —dijo la princesa, abriendo el zurrón de piel—. Hace meses que lo tengo y estoy deseando leerlo.

Un anciano extendió la mano, cogió el tomo, lo sopesó, lo tanteó y, después de reflexionar un poco, dijo:

—Sí, no cabe duda, es el libro invisible que se escribió hace siglos en el reino de Navar. Lo hemos buscado por todas partes pero no logramos dar con él. Nadie lo ha leído... Has encontrado una joya.

—¿Por qué es invisible? —preguntó Sigfrido.

—No tiene nada de extraño, en realidad, todos los libros son invisibles hasta que alguien los lee..., ¿entiendes? —explicó pacientemente el más anciano—. Los libros se hacen visibles mientras son leídos. Después, se colocan en estanterías o se guardan en armarios y vuelven a ser invisibles. Lo importante es que alguien quiera leerlos.

—Sí, y éste ha tenido la suerte de caer en vuestras manos —dijo el otro—. Este libro dejará de ser invisible durante el tiempo que vosotros queráis.

Y dicho esto, los dos hombres se retiraron y dejaron a los dos amigos bajo el árbol. Desde lejos vieron como, mágicamente, entre las manos de Hanna aparecía un libro de color azul. Después de admirarlo, los dos amigos lo abrieron y... empezaron a leer.

Durante horas estuvieron ocupados en la lectura disfrutando intensamente hasta la última línea. Se olvidaron de todo lo que les rodeaba, incluso de comer. Se turnaban, y cuando uno se cansaba de recitar en voz alta, el otro tomaba el relevo y continuaba, de manera que se bebieron el contenido del manuscrito como si se tratase de una bebida especialmente creada para compartir y que, a cada sorbo, les resultaba más y más apetecible.

A la puesta de sol, los ancianos se acercaron al olmo que proyectaba su sombra sobre los dos lectores. Habían terminado la lectura.

—¿Ha valido la pena? —les preguntaron.

Hanna y Sigfrido se levantaron con el libro aún abierto.

—Ha sido lo más apasionante que ha ocurrido en mi vida —dijo la princesa.

—Creo que vamos a buscar más libros invisibles —dijo el paje—. Debe haber muchos.

—Es una buena idea —explicó el anciano mayor—. Hay muchos libros perdidos esperando que alguien los encuentre.

—¿Podremos venir aquí a leerlos? —preguntó Hanna.

—Naturalmente, siempre será una ayuda contar con vosotros —dijo el otro hombre—. A este lugar vienen lectores de todo el mundo en busca de libros que apenas se conocen.

—Dejaremos nuestro libro aquí, en este valle —dijo la princesa—. Así, otros podrán disfrutarlo.

Los ancianos se miraron y, después de sonreír, se despidieron de los dos jóvenes.

Al día siguiente, apenas salió el sol, Hanna y Sigfrido reemprendieron el camino de regreso. Tras varios días de viaje, llegaron finalmente al castillo. El rey, que los esperaba con impaciencia, escuchó atentamente su relato y, después de meditar profundamente, los perdonó.

Para evitar que volvieran a escaparse, dio orden a todo el mundo de buscar libros invisibles y que éstos fuesen entregados directamente a la princesa Hanna.

Organizó expediciones escoltadas por soldados al valle de los libros y, periódicamente, Hanna, Sigfrido y otros amigos iban allí a depositar y a leer los libros invisibles que la gente les entregaba.

Hanna y Sigfrido leyeron libros apasionantes durante toda su vida, pero nunca olvidaron el primer libro invisible que les permitió vivir aquella increíble historia.

—Aquí tienen: tres helados de vainilla en copa grande con guinda en cada uno —dice el camarero—. ¡Que aproveche!

—Gracias —murmuramos los tres a la vez.

Es un helado espectacular. Tiene más chocolate que la otra vez y la copa me parece aún mayor. Va a ser el mejor helado de mi vida. Lucía me mira y noto que también está alucinada.

—Es magnífico —dice.

—¡Impresionante! —digo.

—¡Es una locura! —exclama papá.

Y, sin decir ni una palabra más, empezamos a comernos el helado... pensando en «El libro Invisible»... y en el valle de los libros... y en la cueva de los escribientes... y en todos los libros que debe haber en el mundo... esperando ser leídos.

EL BARCO DE VAPOR

SERIE NARANJA (a partir de 9 años)

1 / *Otfried Preussler,* **Las aventuras de Vania el forzudo**
2 / *Hilary Ruben,* **Nube de noviembre**
3 / *Juan Muñoz Martín,* **Fray Perico y su borrico**
4 / *María Gripe,* **Los hijos del vidriero**
6 / *François Sautereau,* **Un agujero en la alambrada**
7 / *Pilar Molina Llorente,* **El mensaje de maese Zamaor**
8 / *Marcelle Lerme-Walter,* **Los alegres viajeros**
10 / *Hubert Monteilhet,* **De profesión, fantasma**
13 / *Juan Muñoz Martín,* **El pirata Garrapata**
15 / *Eric Wilson,* **Asesinato en el «Canadian Express»**
16 / *Eric Wilson,* **Terror en Winnipeg**
17 / *Eric Wilson,* **Pesadilla en Vancúver**
18 / *Pilar Mateos,* **Capitanes de plástico**
19 / *José Luis Olaizola,* **Cucho**
20 / *Alfredo Gómez Cerdá,* **Las palabras mágicas**
21 / *Pilar Mateos,* **Lucas y Lucas**
26 / *Rocío de Terán,* **Los mifenses**
27 / *Fernando Almena,* **Un solo de clarinete**
28 / *Mira Lobe,* **La nariz de Moritz**
30 / *Carlo Collodi,* **Pipeto, el monito rosado**
34 / *Robert C. O'Brien,* **La señora Frisby y las ratas de Nimh**
37 / *María Gripe,* **Josefina**
38 / *María Gripe,* **Hugo**
39 / *Cristina Alemparte,* **Lumbánico, el planeta cúbico**
44 / *Lucía Baquedano,* **Fantasmas de día**
45 / *Paloma Bordons,* **Chis y Garabís**
46 / *Alfredo Gómez Cerdá,* **Nano y Esmeralda**
49 / *José A. del Cañizo,* **Con la cabeza a pájaros**
50 / *Christine Nöstlinger,* **Diario secreto de Susi. Diario secreto de Paul**
52 / *José Antonio Panero,* **Danko, el caballo que conocía las estrellas**
53 / *Otfried Preussler,* **Los locos de Villasimplona**
54 / *Terry Wardle,* **La suma más difícil del mundo**
55 / *Rocío de Terán,* **Nuevas aventuras de un mifense**
61 / *Juan Muñoz Martín,* **Fray Perico en la guerra**
64 / *Elena O'Callaghan i Duch,* **Pequeño Roble**
65 / *Christine Nöstlinger,* **La auténtica Susi**
67 / *Alfredo Gómez Cerdá,* **Apareció en mi ventana**
68 / *Carmen Vázquez-Vigo,* **Un monstruo en el armario**
69 / *Joan Armengué,* **El agujero de las cosas perdidas**
70 / *Jo Pestum,* **El pirata en el tejado**
71 / *Carlos Villanes Cairo,* **Las ballenas cautivas**
72 / *Carlos Puerto,* **Un pingüino en el desierto**
73 / *Jerome Fletcher,* **La voz perdida de Alfreda**
76 / *Paloma Bordons,* **Érame una vez**
77 / *Llorenç Puig,* **El moscardón inglés**
79 / *Carlos Puerto,* **El amigo invisible**
80 / *Antoni Dalmases,* **El vizconde menguante**
81 / *Achim Bröger,* **Una tarde en la isla**
83 / *Fernando Lalana y José María Almárcegui,* **Silvia y la máquina Qué**
84 / *Fernando Lalana y José María Almárcegui,* **Aurelio tiene un problema gordísimo**
85 / *Juan Muñoz Martín,* **Fray Perico, Calcetín y el guerrillero Martín**
87 / *Dick King-Smith,* **El caballero Tembleque**
88 / *Hazel Townson,* **Cartas peligrosas**
89 / *Ulf Stark,* **Una bruja en casa**
90 / *Carlos Puerto,* **La orquesta subterránea**
91 / *Monika Seck-Agthe,* **Félix, el niño feliz**
92 / *Enrique Páez,* **Un secuestro de película**
93 / *Fernando Pulin,* **El país de Kalimbún**
94 / *Braulio Llamero,* **El hijo del frío**
95 / *Joke van Leeuwen,* **El increíble viaje de Desi**
96 / *Torcuato Luca de Tena,* **El fabricante de sueños**
97 / *Guido Quarzo,* **Quien encuentra un pirata, encuentra un tesoro**
98 / *Carlos Villanes Cairo,* **La batalla de los árboles**
99 / *Roberto Santiago,* **El ladrón de mentiras**
100 / *Varios,* **Un barco cargado de... cuentos**
101 / *Mira Lobe,* **El zoo se va de viaje**
102 / *M. G. Schmidt,* **Un vikingo en el jardín**